CABALA, MEDITAÇÃO E CURA

Ian Mecler

Cabala, meditação e cura

Guia de orações, práticas e rituais

4ª edição

EDITORA RECORD
RIO DE JANEIRO • SÃO PAULO
2025

Capa e projeto gráfico de miolo
Miriam Lerner | Equatorium Design

Imagens de capa
© Johnwoodcock/iStock; © Nadezhda Kharitonova/Shutterstock.

Imagens de miolo
© Kris Leov/Shutterstock: pp. 1, 13, 31, 41, 73, 79, 95, 97, 113, 141; © Johnwoodcock/iStock: p. 2; © Oleh Markov/Shutterstock: pp. 13, 31, 41, 73, 79, 97, 113, 141; © Tose | Dreamstime.com, p. 17, 21-22, 33-39, 101, 108, 117, 144; © Shutterstock: p. 49; © ChameleonsEye/Shutterstock, p. 109; © Mordechai Meiri/Shutterstock, p. 128; © Moussa81/iStock, p. 149.

CIP-BRASIL. CATALOGAÇÃO NA FONTE
SINDICATO NACIONAL DOS EDITORES DE LIVROS, RJ

M435c
4ª ed

Mecler, Ian, 1967-
Cabala, meditação e cura: guia de orações, práticas e rituais / Ian Mecler. – 4. ed. – Rio de Janeiro: Record, 2025.
152 p.: il. ; 23 cm

ISBN 978-85-011-0998-9

1. Cabala. 2. Meditação. I. Título.

17-38863 CDD: 296.16
CDU: 296.65

Texto revisado segundo o novo Acordo Ortográfico da Língua Portuguesa.

Direitos desta edição adquiridos pela
EDITORA RECORD
Rua Argentina, 171 – 20921-380 – Rio de Janeiro, RJ – Tel.: (21) 2585-2000.

Atendimento e venda direta ao leitor:
sac@record.com.br

ISBN: 978-85-011-0998-9

Impresso no Brasil
2025

Dedico este guia a todos os membros do Portal da Cabala.
Um abençoado guia de orações, meditações, rituais e cura, para praticarmos e lembrarmos sempre em nome da Luz!

IAN MECLER

Agradecimento especial a Edinei Há Levi, que colaborou muito nas primeiras versões deste livro e para todos os rituais on-line do Portal da Cabala. E a Divaldo Há Ruach, pela ajuda nos guias anteriores a este nascimento.

SUMÁRIO

AGRADECIMENTOS

À minha família, inspiração para este e todos os demais trabalhos da minha vida, em especial: Elizabeth, Davi, Jordana, Abrahão (*in memoriam*), Rosinha, Kátia, Nair, Edir e Luiza Brito.

Aos mestres espirituais Rav Coah, Rav Nerruniá e Rav Meir, pela sabedoria e conhecimento transmitidos, de forma profunda e afetuosa. Aos leitores, que com seus testemunhos de transformação trazem motivação para a realização de novos livros.

À editora Record, que com sua competência permite que ideias se transformem em realidade, em especial à Andreia Amaral, parceira em todos os livros de minha autoria.

Aos meus alunos presenciais e on-line, pela confiança e amor muito inspiradores. Cito abaixo os que tiveram participação neste guia, principalmente pelo uso em meditações e orações diárias.

Abraham e Silvana Zagury • Adriana Tajtelbaum • Adriano e Flavia Catita • Augusto Catita • Alessandra Forma • Alessandra Cabral • Alice Goulart • Amanda Tinoco • Amauri e Cristiane Sanches • Ana Beatriz dos Santos • Ana Carolina Vilela • Ana Claudia Faria • Ana Lucia Guerra • Ana Luiza Castillo Cordova • Ana Paula e Natan Mecler • Ana Paula Barbulho • Ana Mara e Marco Antonio Francisco • Andir Vieira • André Bertrand e Paula Pessoa • Andrea Ferrer • Andreia Alves Rossi • Anna Maria das Neves • Arturo Leyton • Ayrton A. Corazza Pedro • Caio Augusto Villela • Carla Bellino • Carla Regina Laurentis • Carlos e Flavia Doellinger • Carolina Campos Oliveira • Catia Taiza • Clara Inês A.V. Villamil • Claudia Garcia Duarte • Claudia Quadros • Claudia Volpato • Cleusa Bechelani • Cleusa Maria de Souza • Cristiana Mega Quintella • Cristine Ferraciu • Cristiane Beyruti • Daniela de M. Farah • Daniela Queiroz • Daniela Castellani • Daniela Maalouf • Daisy Rocha de Mello • David Osowiec • Debora Azevedo • Denise Esper de Freitas • Diva Vaccari • Divaldo Rodriguez Costa • Edinei Mario Pinto de Castro • Edith de Oliveira Azevedo • Eduardo Araujo • Elizabete Cristina Baltazar • Elizângela M. Oliveira • Elizabeth Forgath • Eloize Paixão Massa • Eloane e Roberto Stryger • Elza M. Lawson Dupre • Emilio Antonio Farah Neto • Eny Fausto (*in memoriam*) • Erika Scheiner • Esther Karmiol • Eveline Monte-Mor • Evelyn Kelman • Ezra Adesse • Ethel K. Schwarz • Evelin Ruth Kubbanni • Fabiola Costa • Fabiola Pacifico Seabra • Fabiana Paixão Rodrigues • Fabiola Rafael de Araujo • Fernanda R. Barbosa • Fernando Jose Lopes da Silva • Fernando Chaves Zago • Flavia Spinola • Francisca Soares da Silva • Gabriela Novaes Arantes • Gregorio Augusto Osowiec

• Gustavo Leão • Helena Rego (*in memoriam*) • Hanna Wasnsztok • Henrique Uzuelli Bacellar • Ingrid Cox • Isabel Regina X. de Abreu • Isabel Borba • Isabel Cristina Lima • Isabel Muniz • Ivan Pessoa • Jaime Eduardo Simão • Jairo Wagner • Jane Terra • Janese Maria Dacal Mendes • Janete Guelfi • Jaqueline Rocha Diniz • Jayme Bulcão e Milene del Nero • Jefferson Cacemiro • Jocimeiry Teodoro • Jose M. Elarrat (*in memoriam*) • Jose Mourão • Josele Correa de Andrades • Jacqueline Rocha Diniz • Karla Kitamura • Karina Villar • Leila Scaf Rodrigues • Leonardo Lerback • Leila Nemes Borgarelli • Leslie Berzakein • Leopoldo de Souza Ferreira • Lilian Ferrari • Lorena P. de Castro • Luanda Souza • Lucia Helena Castro • Lucia Helena Amaral • Lucia Pires • Luiza Leivas (*in memoriam*) • Luciana Panzetti Moliterno • Luis Fernando B. Herlinger • Luiz Alberto e Maria Silvia Moraes • Luiz Fernando Vezzoni • Luciana Guimarães • Lydia Helena S. V. C. Barros • Magno Martins • Manoel Rogerio de Andrade • Marcel Wajnsztok • Marcia Couto Gagliardi • Mara Lavans • Marcelo de F. Grande • Marcelo Ruiz Escanuela • Marcia L. F. Liberalli • Marcia Rosa • Marcio Augusto Camara • Marcos Oliveira • Maria Aparecida Guedes • Maria Amelia Lima • Maria Bernadete S. Lima • Maria Cecilia F. Loureiro • Maria Cecilia Palermo • Maria Cristina Lemmi Sales • Maria de Lourdes Laviola • Maria de Fatima Cardoso • Maria do Carmo Altieri • Maria Emilia Mendes • Maria Eugênia G. Pereira • Maria Helena Peres • Maria Fernanda Tambosi • Maria Helena Gayotto • Maria Isabel Giusti • Maria Luiza Bassi • Maria Lucia Mota • Maria Saeko Motizuki • Maria José Martins • Mariana Moll • Marilda Araujo Nunes • Marineia Nazaré Duarte • Mauricio Vaccari • Max e Ana Paula Cahen • Mel Roschini • Miriam Santos Pereira • Monica Lange • Monica Macedo dos Reis • Monica Paiva • Michelle Bensussan • Michelle Camargo • Nadia Osowiec • Naide Farias Vilella • Nelson Drucker • Noeme Nascimento Silva • Odete Ximenes • Odmir Daniel Cobo • Olga Waisman • Oscar R. Scwaitzer • Patricia Balech • Patricia da Silva Porto • Patricia de Jorge • Paula Marcella S. V. Machado • Paulo Cesar Benzi • Paulo Guaranho • Paulo Roberto Silva • Priscila Bria (*in memoriam*) • Rafael Martins • Rafaela Peluzia Guedes • Regina Lucia Falcão Reis • Regina Brauer • Renata Arakaki • Renata Corazza Pedro • Renata Rivetti • Renata Panzutto • Renata Teixeira • Renato Guerra Moreiras • Ricardo Cunha • Rita Regina dos Reis • Roberta Kelab • Rodolfo Moraes • Rodrigo Portugal Guimaraes • Rodrigo Sant'Anna Alvarez • Rosemary Pereira Dantas • Roberta Hassad • Ruth N. Szpiro • Sandra Solange M. Alv • Sergio Frug • Simone Elisa • Silvia Magalhães Correa • Silvia Vieira • Simone Jeane Ladwing • Sofia Kampel • Sonia Sender • Stephanie Knox S. V. Nunes • Suely Donato de Aguiar • Suely Szwarcman • Suely Moraes • Susana Spanjer Gerford • Tania Donati • Tania Gomes • Tania Reinoso Vieira • Tatiana e Georgia Valerio • Terezinha N. G. Ribeiro • Thais Talita Soares • Thereza Hermany • Therezinha Souto • Thiago Yuri Pessini • Valeria Kampel • Valeria Modolo • Vania Regina de Oliveira • Vera Lucia Rolin Freitas • Victor Felix Stefanelli • Vivian Perl • Wagner Lima Feitosa • Wanda Vezzoni • Wesley Gomes • Yara Maria Rago • Yoda Guimarães Jr. • Yoda Hossana • Yoda José Aquilino • Yoda José Raimundo • Yoda Luma Souza • Yoda Roque Fogaça • Yoda Marcelo e Flavia Orgler • Yoda Renata Lobo.

INTRODUÇÃO

Aqui nasce um novo e impactante guia de conexão e cura. Ele foi todo construído a partir das obras de nossos mestres, de abençoada memória, trazendo a nós orações, meditações, rituais e práticas de cura. O guia foi criado após doze anos de práticas e refinamentos sucessivos por um grupo que se dedica com afinco na direção do despertar.

Entretanto, cabe lembrar que, para que este guia possa surtir efeito, é necessário o receptor de cura. Este é um ponto fundamental: não adianta conhecermos as ferramentas se não criarmos esse receptor. É na percepção de que sintonizamos todo e qualquer acontecimento em nossa vida que se encontra a base de todo o trabalho cabalístico. Nessa direção, precisamos trabalhar nosso receptor e abrir espaço para receber toda a Luz que está disponível para nós.

Precisamos também criar uma atmosfera favorável, que pode ser construída a partir de outras orações, meditações, mantras de anjos e, sempre, boas ações. Quando recitamos um salmo, fazemos uma meditação, preparamos uma água santificada, nos tornamos instrumentos de cura.

Por isso, devemos denotar especial atenção ao aprendizado em si, mas também ao desenvolvimento e correção de nosso caráter. Para obter reais benefícios com o estudo da espiritualidade, nos é exigida uma nova postura em relação à vida, pois, como diziam os antigos mestres, experimentar essas conexões sem um compromisso ético é o mesmo que voar sem asas.

Nas páginas a seguir você terá à disposição um autêntico manual de iluminação, composto por ferramentas cabalísticas muito recomendadas para abrir o receptor de cura. Experimente fazer essas conexões não como um "cliente" que procura a Deus como um fornecedor, mas como um filho muito amado em busca de proteção e orientação do pai.

Este contato vai lhe trazer transformações muito positivas. Quanto maiores a dedicação e alegria que você injetar neste processo, maiores serão as bênçãos!

Shalom!!!

Ian Mecler

10 de Adar de 5777

8 de março de 2017

GUIA DE ORAÇÕES

Contato com o Criador através da força da palavra e a submissão ao Sagrado

GUIA REDUZIDO DE ORAÇÕES

Deus criou este mundo para nos testar e através de seus testes podemos nos aprimorar. Por isso, precisamos usar as provações como oportunidades. Muitos reagem às dificuldades da vida dizendo: "Mas por que isto tinha que acontecer logo comigo?" ou "O que eu fiz para merecer algo assim?".

Fugir dos obstáculos, entretanto, nunca é a solução, porque você só se fortalece quando luta com um adversário forte. Quem não tem dificuldades não cresce. Você percebe que cada prova funciona como uma etapa cumprida em direção ao despertar da consciência? Cada uma delas é uma oportunidade para revelarmos nossa Luz interior.

Para mantermos o cajado em pé e jamais esmorecer, contamos com a força das orações. Se você se lembrar que é um filho de Deus, isso lhe ajudará a criar uma fortaleza espiritual a sua volta. Mantendo-se focado no propósito maior, você descobrirá de onde vem a sua força.

Esta sequência de orações pode ser feita no início da manhã, preferencialmente no meio da tarde e/ou à noite, antes de dormir. Fazemos todas estas orações de pé, com os pés juntos.

Experimente recitar as orações a seguir, concentrando-se em levar Luz a todas as almas do nosso mundo. Faça isto lembrando que o personagem escolhido para libertar a humanidade não é um homem, mas um estado de consciência, que pode ser atingido por você, agora.

ORAÇÃO DE AGRADECIMENTO

Agradeço por este novo dia, pelos pequenos e grandes dons que colocaste em nosso caminho a cada instante desta jornada. Agradeço pela luz, pelo alimento, pela água, pelo trabalho, por este teto, pela beleza de tuas criaturas, pelo milagre da vida, pela inocência das crianças, pelo gesto amigo, pelo amor que nos sustenta e protege.

Agradeço pela surpresa de tua presença em cada ser, pelo teu perdão que nos faz crescer e pela alegria de ser útil, servindo à humanidade e aos que nos cercam.

Que no dia de hoje possamos nos tornar melhores.

Abençoe, Senhor, o nosso dia, os nossos corpos, os nossos familiares e amigos.

PAI CELESTIAL

(Adaptado do original em Aramaico)

Pai Celestial que emana vida, Santificado seja o vosso nome,
Que a vossa luz nos ilumine o caminho,
Seja feita a tua vontade, assim na terra como no céu.
Dá-nos sabedoria para nossas necessidades de cada dia,
Perdoai as nossas ofensas assim como nós perdoamos a quem nos tem ofendido,
Não nos deixeis cair em tentação. Livrai-nos de todo o mal,
Pois teu é o reino, o poder e a glória, para sempre!

BÊNÇÃO DA TORÁ

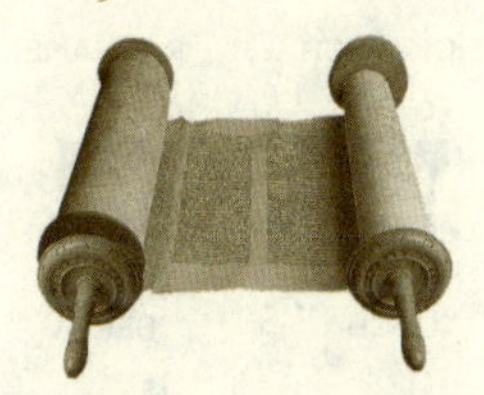

Adonai, nosso Deus e Deus de nossos ancestrais, torna os ensinamentos da Tua Torá agradáveis em nossa boca; e que nós, nossos filhos e todos os seus filhos que trabalham em nome do bem sejam conhecedores da Tua presença e estudantes de Tua santificada sabedoria. Bendito és Tu, Adonai, que ensina a Torá e a Cabala aos mestres do caminho.

**BARUCH ATÁ ADONAI, ELOHEINU
MELECH HÁ OLAM, ASHER KIDESHÁNU
BEMITSVOTÁV VETSIVÁNU,
AL DIVREI TORÁ. AMEN!**

O ato de recitar palavras sagradas e se comunicar diretamente com o criador possui um imenso poder purificador. Os sete versos de Ana Becoach evocam a força da criação. Uma oração abençoada, com 42 palavras mágicas, que abrem caminho para transcendermos o mundo físico e nos reconectarmos à semente original da criação.

Atenção: Ao ler 'CH' pronuncie sempre como RR. Ex: Chalá=Ralá

ORAÇÃO ANA BECOACH

צ TSERURA	ת TATIR	י YEMINCHÁ	ג GUEDULAT	ב BECOACH	א ANA
נ NORÁ	ט TAHAREINU	ש SAGVEINU	ע AMECHA	ר RINAT	ק KABEL
ש SHOMREM	כ KEVAVAT	י YICHUDECHÁ	ד DORSHEI	ג GIBOR	נ NA
ג GOMLEM	ת TAMID	צ TSIDKATECHÁ	ר RACHAMEI	ט TAHAREM	ב BARCHEM
ע ADATECHA	נ NAHEL	ט TUVCHA	ב BEROV	ק KADOSH	חס CHASSIN
ק KEDUSHATECHÁ	ז ZOCHREI	פ PENEI	ל LEAMECHA	ג GEE	י YACHID
ת TA ' ALUMOT	י YODEA	צ TSAKATEINU	ו USHMÁ	ק KABEL	ש SHAVATEINU

EM SILÊNCIO - VAED OLAM LE MALCHUTO KEVOD SHEM BARUCH

SALMO 121 – PROTEÇÃO

Um cântico para ascensão. Ergo meus olhos para o alto de onde virá meu auxílio. Meu socorro vem do Eterno, o Criador dos céus e da terra. Ele não permitirá que resvale teu pé, pois jamais se omite Aquele que te guarda. Nosso guardião jamais descuida, jamais dorme. Deus é Tua proteção. Como uma sombra, te acompanha à Sua Destra. De dia não te molestará o sol, nem sofrerás de noite sob o brilho da lua. O Eterno te guardará de todo mal; Ele preservará tua alma. Estarás sob Sua proteção ao saíres e ao voltares, desde agora e para todo o sempre. Amém!

SALMO 112 – INTEGRIDADE

Aleluia! Louvado seja o Eterno! Bem-aventurado é o homem que teme o Eterno e que se dedica a cumprir seus preceitos. Poderosa na terra será sua semente, uma geração de honestos abençoada. Fartura haverá em sua casa, e sua generosidade permanece para sempre. Brilha na escuridão uma luz para os íntegros, pois ele é misericordioso e justo. Bem haverá ao homem que tem compaixão e que auxilia a quem precisa, e que seus negócios conduz com justiça. Nunca será abalado. Será sempre lembrado como justo. Não recuará com o rumor negativo, pois seu coração firmemente confia no Eterno. Ele está seguro e sem temor, e assistirá o fracasso de seus inimigos. Ele distribui aos necessitados, firme em sua bondade, e com glória será exaltado. O transgressor ao ver se revoltará e inutilmente rangerá seus dentes, pois perecerá em sua ambição. Amém!

SALMO 23

Um Cântico de Davi.
O Senhor é meu pastor, nada me faltará.
Em campinas luxuriantes Ele me deposita, ao lado de águas tranquilas Ele me conduz. Ele restaura a minha alma.
Ele me conduz sobre trilhas de justiça, em consideração ao Seu Nome.
Embora eu caminhe no vale das sombras da morte, não temerei nenhum mal, pois Tu estás comigo.
Teu bordão e Teu cajado me confortam.
Tu preparas uma mesa diante de mim em plena vista dos meus atormentadores.
Tu ungiste minha cabeça com óleo; minha taça transborda.
Que apenas bondade e benevolência me persigam todos os dias da minha vida. E eu habitarei na Casa do Senhor para todo o sempre. Amém!

ORAÇÕES PESSOAIS

Momento para falar diretamente com o Criador. Depois, um sorriso de alegria pela oportunidade da vida e por fazer parte de um grupo que se dedica a praticar o bem.

GUIA COMPLETO DE ORAÇÃO E CURA

Fazemos todas estas orações de pé, com os pés juntos. Preferencialmente coloque o Talit antes de iniciar, utilizando a seguinte bênção:

BARUCH ATÁ ADONAI, ELOHEINU
MELECH HÁ OLAM, ASHER KIDESHÁNU
BEMITSVOTÁV VETSIVÁNU,
AL MITZVA TSITSIT

LOUVOR

Exaltemos Ihavehá, Deus criador de tudo que existe. Todas as formas pertencem a Ti. Sua existência não é limitada pelo tempo, Tua unidade é inigualável, infinita. Nada pode ser comparado à Sua Santidade. Existias antes de todo o início. Bendito seja o Seu Nome, louvado para sempre. Amém.

ORAÇÃO PAI CELESTIAL

Pai Celestial que emana a vida, santificado seja o teu nome, que a tua luz nos ilumine o caminho, seja feita a tua vontade, assim na terra como no céu. Dá-nos sabedoria para nossas necessidades de cada dia, perdoai as nossas ofensas assim como nós perdoamos a quem nos tem ofendido, não nos deixeis cair em tentação. Livrai-nos de todo o mal, pois teu é o reino, o poder e a glória, para sempre. Amém!

Adaptado do original em aramaico

ORAÇÃO DA REALIZAÇÃO

Agradeço por este novo dia, pelos pequenos e grandes dons que colocaste em nosso caminho a cada instante desta jornada. Agradeço por descobrir que dar e receber são na verdade uma mesma coisa.

Agradeço até mesmo pelas dificuldades do caminho, porque sei que por trás de cada obstáculo há grande luz a ser revelada.

Que Deus me ajude a ampliar minha visão e a perceber que minha realidade é fruto do foco dos meus pensamentos. Assim, poderei lembrar que vejo o mundo e as pessoas não como elas são, mas como eu sou.

É minha decisão, a partir de agora, colocar o foco naquilo que é construtivo, e para tal me determino a plantar as mais positivas sementes.

Peço força para desenvolver a virtude do desapego, para que possa lembrar que nada de material nos restará quando deixarmos este mundo físico.

É com humildade que abandono agora minhas expectativas, porque sei que meu poder é ilusório. A força que guia minha vida vem de um lugar único e maravilhoso e muito acima do meu controle. Guiado por essa força, jamais desistirei daquilo em que realmente acredito, da minha missão de levar luz ao mundo e aos que me cercam. Amém!

BÊNÇÃO DA TORÁ

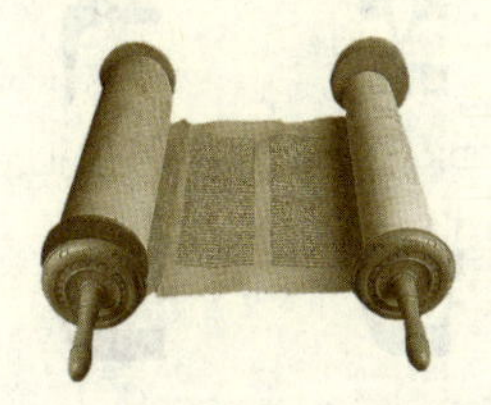

Adonai, nosso Deus e Deus de nossos ancestrais, torna os ensinamentos da Tua Torá agradáveis em nossa boca; e que nós, nossos filhos e todos os seus filhos que trabalham em nome do bem sejam conhecedores da Tua presença e estudantes de Tua santificada sabedoria. Bendito és Tu, Adonai, que ensina a Torá e a Cabala aos mestres do caminho.

**BARUCH ATÁ ADONAI, ELOHEINU
MELECH HÁ OLAM, ASHER KIDESHÁNU
BEMITSVOTÁV VETSIVÁNU,
AL DIVREI TORÁ. AMEN!**

O ato de recitar palavras sagradas e se comunicar diretamente com o criador possui um imenso poder purificador. Os sete versos de Ana Becoach evocam a força da criação. Uma oração abençoada, com 42 palavras mágicas, que abrem caminho para transcendermos o mundo físico e nos reconectarmos à semente original da criação.

ORAÇÃO ANA BECOACH

צ TSERURA	ת TATIR	י YEMINCHÁ	ג GUEDULAT	ב BECOACH	א ANA
נ NORÁ	ט TAHAREINU	ש SAGVEINU	ע AMECHA	ר RINAT	ק KABEL
ש SHOMREM	כ KEVAVAT	י YICHUDECHÁ	ד DORSHEI	ג GIBOR	נ NA
ג GOMLEM	ת TAMID	צ TSIDKATECHÁ	ר RACHAMEI	ט TAHAREM	ב BARCHEM
ע ADATECHA	נ NAHEL	ט TUVCHA	ב BEROV	ק KADOSH	ח CHASSIN
ק KEDUSHATECHÁ	ז ZOCHREI	פ PENEI	ל LEAMECHA	ג GEE	י YACHID
ת TA ' ALUMOT	י YODEA	צ TSAKATEINU	ו USHMÁ	ק KABEL	ש SHAVATEINU

EM SILÊNCIO - VAED OLAM LE MALCHUTO KEVOD SHEM BARUCH

ORAÇÃO SHEMÁ YISRAEL

Proclamamos nossa unicidade com o Criador e nos dirigimos à Terra Prometida, dimensão que traz sentido à nossa existência. Com a mão direita sobre os olhos recitamos:

SHEMÁ YISRAEL, ADONAI ELOHÊINU, ADONAI E-CHA-D.

SALMO 121

Shir lamaalot, essa enai el haharim, meáyin iavo ezri.
Um cântico para ascensão. Ergo meus olhos para o alto de onde virá meu auxílio

Ezri meim Háshem, osse shamáyim vaárets.
Al yiten lamot raglêcha, al ianum shomerêcha.

Meu socorro vem do Eterno, o Criador dos céus e da terra. Ele não permitirá que resvale teu pé, pois jamais se omite Aquele te guarda.
Hine lo ianum velo yishan, shomer Yisrael. Háshem shomerêcha, Háshem tsilechá al iad ieminêcha.

O Guardião do nosso povo jamais descuida, jamais dorme. Deus é Tua proteção. Como uma sombra te acompanha à Tua Destra.
Iomam hashémesh lo iakêca, veiarêach balaila.

De dia não te molestará o sol, nem sofrerás de noite sob o brilho da lua.
Háshem yishmorchá micol ra, yishmor et nafshêcha.

O Eterno te guardará de todo o mal; Ele preservará tua alma.
Háshem yishmor tsetechá uvoêcha, meata vead olam.

Estarás sob Sua proteção ao saíres e ao voltares, desde agora e para todo o sempre. Amém!

SALMO 112

Aleluia! Louvado seja o Eterno! Bem-aventurado é o homem que teme o Eterno e que se dedica a cumprir seus preceitos. Poderosa na terra será sua semente, uma geração de honestos abençoada. Fartura haverá em sua casa, e sua generosidade permanece para sempre. Brilha na escuridão uma luz para os íntegros, pois ele é misericordioso e justo. Bem haverá ao homem que tem compaixão e que auxilia a quem precisa, e que seus negócios conduz com justiça. Nunca será abalado; será sempre lembrado como justo. Não recuará com o rumor negativo, pois seu coração firmemente confia no Eterno. Ele está seguro e sem temor, e assistirá ao fracasso de seus inimigos. Ele distribui aos necessitados, firme em sua bondade, e com glória será exaltado. Ao ver, o transgressor se revoltará e inutilmente rangerá seus dentes, pois perecerá em sua ambição. Amém!

SALMO 23

Um Cântico de Davi.

O Senhor é meu pastor, nada me faltará.

Em campinas luxuriantes Ele me deposita, ao lado de águas tranquilas Ele me conduz. Ele restaura a minha alma.

Ele me conduz sobre trilhas de justiça, em consideração ao Seu Nome.

Embora eu caminhe no vale das sombras da morte, não temerei nenhum mal, pois Tu estás comigo.

Teu bordão e Teu cajado me confortam.

Tu preparas uma mesa diante de mim em plena vista dos meus atormentadores.

Tu ungiste minha cabeça com óleo; minha taça transborda.

Que apenas bondade e benevolência me persigam todos os dias da minha vida. E eu habitarei na Casa do Senhor para todo o sempre. Amém!

ANJOS DE CURA

Aqui fazemos conexão com 3 poderosos anjos cabalísticos de cura. Meditamos neles em sequência, um após o outro. Para cada um deles, devemos nos conectar com:

LETRAS – A simples visualização das letras sagradas do anjo traz muita luz à sua vida. As letras do alfabeto hebraico atuam como antenas que liberam a mesma energia invisível da criação.

VOCALIZAÇÃO – A vocalização relacionada ao anjo potencializa ainda mais a conexão e deve ser feita neste exercício 3 vezes para cada anjo, entoadas como se faz com um mantra.

SALMO – Os salmos de Davi emanam uma força que vai muito além das palavras aparentes. Você deve recitar em voz alta o versículo do salmo relacionado a cada anjo. Lembre-se que a palavra tem poder de criar realidade.

A SAÚDE

MECHASH

Salmo 34,5: "Busquei o Eterno e Ele me respondeu, e de todos os meus temores me livrou."

A BÊNÇÃO DA CURA

MENÁK

Salmo 38, 22: "Não me abandones, ó Eterno, meu Deus! Não te afastes de mim."

A IMORTALIDADE

MÔÔM

Salmo 116,7: "Volta a ter sossego, alma minha, pois o Eterno para contigo foi Bondoso."

BÊNÇÃO REFUÁ-CURA

Cura-nos, Eterno, e seremos curados; socorre-nos e seremos socorridos, pois que Tu és nossa mão protetora. Restaura nossa saúde e concede-nos cura a todas as nossas feridas, pois tu és Deus, rei misericordioso que cura. Bendito sejas Tu, Eterno, que curas os enfermos. BARUCH ATÁ ADONAI, ROFÊ CHOLÊ AMO ISRAEL.

BARUCH ATÁ ADONAI, ROFÊ
CHOLÊ AMO YISRAEL.
AMEN!

EL NÁ REFÁ NÁ LA

ORAÇÃO DO PERDÃO

Eu perdoo a todo aquele que me magoou ou que me fez mal, ao meu corpo, à minha honra e a tudo que possuo; tanto sem querer como premeditadamente, com palavras ou com ações; enfim, peço que nenhum ser humano seja castigado por minha causa. Da mesma forma, peço perdão a todos aqueles que magoei ou a quem tenha feito algum mal; ao Criador por toda luz desperdiçada nos momentos em que me esqueci que sou sua imagem e semelhança e que minha maior missão é a de levar luz ao mundo. Seja o Eterno, nosso Deus, conosco, como foi com os nossos pais.

KADISH

Lembramos de amigos e antepassados que deixaram esta dimensão, e como suas palavras e gestos de carinho sempre estarão conosco.

YITCADÁL VEYITCADÁSH SHEMÊ RABÁ. AMEN.
BEALMÁ DE VERÁ CHIR´UTE VEIAMLICH MALCHUTÊ
VEIATZMACH PURCANÊ VICARÊV MESHICHE. AMEN.

BECHAIECHÓN UVEIOMECHÓN UVECHAIÊ DECHOL
BEIT ISRAEL, BAAGALÁ UVIZMÁN CARÍV EIMRÚ. AMEN.

IEHÊ SHEMÊ RABÁ MEVARÁCH LEALÁM ULEALMÊ ALMAIÁ. YITBARÁCH,
VEYISHTABÁCH, VEYITPAÁR, VEYITROMAM, VEYITNASSÊ, VEYIT'ADAR
VEYIT'ALÊ,VEYIT'ALAL, SHEMÊ DECUDSHÁ BRICHU. AMEN.

LEÊLA MIN COL BIRCHATÁ SHIRATÁ TUSHBECHATÁ VENECHEMATÁ
DAAMIRÁN BEALMÁ VEIMRU. AMEN.

TITCABAL TZELOTEON UVAUTEON DECHOL BEIT ISRAEL
CODAM AVUÓN DI VISHMAIÁ, VEIMRU AMEN.

IEHÊ SHELAMÁ RABÁ MIN SHEMAIÁ VECHAYIM TOVIM ALEINU VEAL COL ISRAEL,
VEIMRU AMEN. OSSÊ SHALOM BIM'ROMAV, HU IAASSÊ SHALOM
ALEINU VEAL CÓL ISRAEL, VEIMRU AMEN.

Exaltado e Santificado seja o Seu grande Nome (Amém), no mundo que Ele criou por Sua vontade. Queira ele estabelecer Seu Reino e determinar o ressurgimento da Sua redenção e apressar a Era do Mashiach (Amém). No decurso da vossa vida, nos vossos dias e no decurso da vida de toda nossa Casa, prontamente e em tempo próximo; e dizei AMÉM. Seja o Seu grande Nome Bendito eternamente e para todo o sempre; Seja Bendito, louvado, glorificado, exaltado, engrandecido, honrado, elevado e excelentemente adorado o Nome do Sagrado, Bendito seja Ele (AMÉM), acima de todas as bênçãos, hinos, louvores e consolações que possam ser proferidos no mundo; e dizei Amém. Que as orações e súplicas de toda a Casa de nosso povo sejam aceitas pelo Seu Pai que está nos céus; e dizei Amém. Que haja uma paz abundante emanada do céu, e vida boa para nós e para todo nosso povo; e dizei Amém. Aquele que firma a paz nas alturas, com sua misericórdia, conceda a paz sobre nós e sobre todo Seu povo; e dizei AMÉM.

ORAÇÃO DE PROTEÇÃO

Adonai, Rei do Universo, guia-nos no caminho dos justos. Orienta os nossos passos em direção aos caminhos que devemos trilhar. Confirma as nossas alianças com o teu nome Santificado. Mantenha o nosso equilíbrio, leva a iluminação e revela bênçãos aos que transmitem Tua mensagem. Decreta a Era do Mashiach. Proteja todas as congregações que trabalham pela paz e afasta de nós os inimigos, Adonai. Afasta o anjo da morte, afasta a dúvida, afasta o sofrimento e a guerra. Adonai, recupera nossa alma e reconstrói nosso reino. Envia um anjo de proteção a todos que trabalham em Teu nome e leva paz aos nossos lares e empreendimentos. Aquele que firma sua paz nas alturas estará no descanso do Eterno. Amém.

ORAÇÃO PARA SUPERAR DIFICULDADES

Eterno, tenha piedade de nós. Que sejamos bons para todos. Que jamais a maldade penetre nosso coração! Aproxima-nos de Ti, para que possamos estar em conexão com os verdadeiros justos e com a Tua presença, com confiança total e duradoura.

Purifica nossos olhos das cascas. Santifica-nos, purifica-nos, lava-nos dos excessos, da luxúria e da vaidade. Salve-nos de nossos inimigos, de ideias doentias. Protege-nos, ajuda-nos, pois nos entregamos inteiramente a Ti, Adonai.

Cura-nos com águas puras, purificando-nos, Eterno, nosso Deus e Deus de nossos ancestrais! Que toda cura seja operada em Teu nome e louvor. Amém!

BÊNÇÃO SHALOM – AMOR, ALEGRIA E PAZ

Faze recair sobre nós bênçãos de vida, amor, graça e misericórdia. Abençoa-nos com a luz da Tua presença. Que seja agradável a Ti abençoar-nos em todos os tempos e lugares, com as bênçãos da Tua paz. Shalom.

SIM SHALOM TOVÁ UVERACHÁ, CHAYIM
CHÉN VACHÉSSED VERACHAMIM, ALÊNU
VEAL COL YISRAEL AMÊCHA

Inclina-se para a esquerda

OSSE SHALOM

Inclina-se para a direita

BIMROMAV HU IASSE SHALOM

Inclina-se para a frente

ALENU VE AL COL ISRAEL VEIMRÚ AMEN!

CONEXÃO PARA PROTEÇÃO E LEMBRANÇA

Encerram-se as orações fazendo-se um Tsedaká (doação para necessitados). Aproveite este momento para dar um sorriso de alegria pela oportunidade da vida e por fazer parte de um grupo que se dedica a praticar o bem.

ORAÇÃO AO ACORDAR PELA MANHÃ

O momento em que acordamos é muito importante. É onde se planta a semente de todo aquele dia. É importante, portanto, que possamos nesse momento fazer uma conexão para lembrarmos que somos seres sagrados, provenientes de um mundo espiritual. Antes de levantarmos da cama, fazemos:

ETERNO, SOU GRATO A TI POR TER RESTAURADO DENTRO DE MIM MINHA ALMA COM MISERICÓRDIA. ASSIM ME ENTREGO À SUA PRESENÇA

Assim que levantamos da cama efetuamos a lavagem ritual das mãos.

A LAVAGEM RITUAL DAS MÃOS

A lavagem ritual das mãos deve ser feita diariamente ao acordar, antes das refeições e também ao se chegar em casa. É uma conexão especial que tem o poder de equilibrar os pilares de nossa árvore da vida. Deve ser feita preferencialmente com a utilização de um recipiente que tenha duas alças. Primeiramente enche-se o recipiente de água. A mão esquerda molha a mão direita com uma pequena quantidade de água. A mão direita molha a mão esquerda em seguida. Esta operação deve ser feita por três vezes. Ao final, deve-se recitar:

BARUCH ATÁ ADONAI, ELOHEINU MELECH HÁ OLAM, ASHER KIDESHÁNU BEMITSVOTÁV VETSIVÁNU, AL NETILAT YADÁIM

Tradução adaptada: Bendito é o eterno, rei do universo, que nos santifica em suas conexões com a lavagem ritual das mãos.

ORAÇÃO PARA ANTES DE DORMIR

ORAÇÃO PESSOAL

Finalmente podemos fazer algumas orações pessoais e agradecer pela grande oportunidade que é a vida. Neste momento respire suavemente, direcionando o ar que entra e sai para seu abdômen e sinta como se dissolvendo qualquer sentimento de raiva que possa ter surgido durante o dia.

Elimine também de você todo e qualquer rancor que venha guardando de seja lá quem for. Lembre-se de que a justiça sempre se faz, e não cabe a nós determinar os julgamentos para cada ser humano.

ORAÇÃO DO PERDÃO

Eu perdoo a todo aquele que me magoou ou que me fez mal, ao meu corpo, à minha honra e a tudo que possuo; tanto sem querer como premeditadamente, com palavras ou com ações; enfim, peço que nenhum ser humano seja castigado por minha causa. Da mesma forma, peço perdão a todos aqueles que magoei ou a quem tenha feito algum mal; ao Criador por toda luz desperdiçada nos momentos em que me esqueci que sou sua imagem e semelhança e que minha maior missão é a de levar luz ao mundo. Seja o Eterno, nosso Deus, conosco, como foi com os nossos pais.

AGRADECIMENTO

Agradeço pela oportunidade de um novo dia de vida. Agradeço pela alegria de servir aos meus familiares, amigos e a todos que nos cercam. Que amanhã eu possa me tornar melhor. Quero, antes de adormecer, doar e abençoar a quem me magoou neste dia. Abençoe, Senhor, o nosso descanso, os nossos corpos, os nossos familiares e amigos.

GUIA DE SALMOS
TEHILIM

Os salmos são como fórmulas mágicas, ferramentas preciosas nas mãos do buscador espiritual

SALMOS

Compostos de palavras de poder, os salmos trazem imensa força de cura para a nossa vida. Foram escritos por um homem que jamais fugiu da luta e que se tornou um mestre na transformação da sombra em Luz. Davi foi o único a se atrever a duelar com o gigante Golias. E não foi pela força física que ele se saiu vencedor, mas sim devido à sua astúcia e submissão à Luz divina. O segredo desta força está no livro de salmos por ele recebido.

Há milênios eles são conhecidos por trazer um caminho para a bênção e o milagre. Mas atenção: para serem realmente eficazes, os salmos precisam ser recitados de forma correta, com um real entendimento do processo. Os salmos são fórmulas espirituais, concebidas na forma de cânticos, e que possuem um raro poder de acessar as esferas elevadas da existência. Portanto, ao ler um salmo direcione sua energia para os aspectos que necessitam de atenção.

Faça a evocação dos salmos em um lugar adequado, sem interrupções. Seja na sua casa, de frente para o mar, dentro de uma floresta, o mais importante é que se estabeleça uma real conexão com o sagrado. Para isso, acalme a mente e faça alguns minutos de silêncio, antes de recitá-los.

Para ser ativado, o salmo precisa ser lido em voz alta. É como se estivéssemos, de fato, conversando com o criador naquele momento. Antes das evocações, é importante que você faça a ativação da intenção pela qual aqueles salmos serão lidos. Ao final, procure agradecer pela graça concedida, independentemente de ela já ter lhe sido agraciada ou não.

SALMO 23 – PROTEÇÃO PESSOAL

Um Cântico de Davi. O Senhor é meu pastor, nada me faltará. Em campinas luxuriantes Ele me deposita, ao lado de águas tranquilas Ele me conduz. Ele restaura a minha alma. Ele me conduz sobre trilhas de justiça, em consideração ao Seu Nome. Embora eu caminhe no vale das sombras da morte, não temerei nenhum mal, pois Tu estás comigo. Teu bordão e Teu cajado me confortam. Tu preparas uma mesa diante de mim em plena vista dos meus atormentadores. Tu ungiste minha cabeça com óleo; minha taça transborda. Que apenas bondade e benevolência me persigam todos os dias da minha vida. E eu habitarei na Casa do Senhor para todo o sempre. Amém!

SALMO 24 – CONEXÃO COM OS JUSTOS

Salmo de Davi. Ao Eterno pertence a sua plenitude, o mundo e aqueles que nele habitam. Ele a fundou sobre os mares, e a firmou sobre os rios. Quem subirá ao monte do Eterno? Quem estará no seu santo lugar?

Aquele que é limpo de mãos e puro de coração, que não entrega a sua alma à vaidade nem jura enganosamente, este receberá bênçãos, justa recompensa do Deus de sua salvação.

Esta é a geração daqueles que a Ele buscam, daqueles que buscam a Tua face, ó Deus de Jacó. Selá. Erguei portas, as vossas cabeças; levantai-vos, ó entradas eternas, e entrará o Rei da Glória.

Quem é este Rei da Glória? O Eterno forte e poderoso, Deus poderoso na luta. Erguei portas, as vossas cabeças, levantai-vos, ó entradas eternas, e entrará o Rei da Glória.

Quem é esse Rei da Glória? O Eterno dos Exércitos, ele é o Rei da Glória. Selá.

SALMO 27 – CONFIANÇA NO PROPÓSITO – MÊS DE ELUL

De Davi. O Senhor é minha luz e minha salvação, a quem eu temerei? O Senhor é a fonte da força da minha vida, de quem terei medo? Quando malfeitores se aproximam para devorar minha carne, meus atormentadores e meus adversários, contra mim, são eles que tropeçam e caem. Mesmo que um exército me cercasse, meu coração não temeria. Mesmo que a guerra se erguesse contra mim, nisso eu confio. Uma coisa pedi ao Senhor, que procurarei: que eu habite na Casa do Senhor todos os dias de minha vida, para contemplar o prazer do Senhor e meditar em Seu Santuário. Sem dúvida, pois Ele me guardará em Seu Abrigo no dia da aflição. No esconderijo de Sua Tenda, Ele me erguerá sobre uma rocha. Agora minha cabeça está elevada acima dos meus inimigos em volta de mim. Eu oferecerei em Sua Tenda oferendas de júbilo. Eu cantarei e entoarei louvor ao Senhor. Ouve, Senhor, minha voz quando chamo, favorece-me e responde-me. Por Tua inspiração, meu coração disse: "Procura Minha Presença." Tua Presença, Senhor, eu procuro. Não escondas Tua Presença de mim, não rejeites Teu servo em ira. Tu tens sido meu Auxiliador. Não me abandones, não me desampares, ó Deus de minha salvação. Mesmo que meu pai e minha mãe tenham me desamparado, o Senhor me acolherá. Instrui-me, Senhor, em Teu caminho e conduze-me na trilha da integridade por causa dos meus atentos adversários. Não me entregues aos desejos de meus atormentadores. Pois eis que apareceu contra mim falso testemunho que inspira violência. Não tivesse eu acreditado na contemplação da bondade do Senhor na terra da vida. Confia no Senhor, fortalece-te, e Ele te dará coragem; e confia no Senhor. Amém!

SALMO 30 – CURA FÍSICA

Salmo e cântico na dedicação da casa de Davi. Te exaltarei ó Eterno, pois Tu me reergueste e não deixaste que meus inimigos se divertissem sobre mim. Eterno, meu Deus, a Ti clamei por socorro, e Tu me curaste. Eterno, tiraste-me da sepultura; prestes a descer à cova, devolvendo-me à vida. Cantem louvores ao Eterno, vocês, os seus fiéis; deem graças ao seu santo nome. Porque sua ira é passageira, mas o seu favor dura toda a vida. O choro pode persistir uma noite, mas de manhã irrompe a alegria. Quando me senti seguro, disse: jamais serei abalado! Eterno, com o Teu favor, deste-me firmeza como uma montanha, mas quando escondeste a Tua face, fiquei perturbado. A Ti, Senhor, clamei, ao Eterno supliquei misericórdia: se eu descer à cova, que vantagem haverá? Acaso o pó Te louvará? Proclamará a Tua verdade? Ouve, Eterno, e tem misericórdia de mim; Eterno, sê o meu auxílio. Mudaste o meu pranto em dança, minhas vestes de lamento em vestes de alegria, para que o meu coração cante louvores a Ti e não se cale. Ó Eterno, meu Deus, Te darei graças para sempre. Amém!

SALMO 47 – AMOR A DEUS

Para o condutor, pelos filhos de Corach, um salmo. Batam palmas de alegria, todas as nações! Cantem louvores a Deus. Pois o Eterno, o altíssimo, temível, Ele é o grande Rei sobre a terra. Subjuga e nos dá força para vencer os povos. Ele escolheu nossa herança para nós, a glória de Yacov, que Ele ama, Sela. Deus ascende através do toque de teruá, do som do shofar. Cantem louvores ao Eterno, cantem louvores ao nosso rei, louvem a Deus com canções, pois Ele é Rei sobre toda a terra. O Eterno está sentado em seu santo trono. Os nobres das nações juntaram-se à nação do Deus de Abrahão, pois todo o poder deste mundo pertence a Deus. Ele é muitíssimo exaltado. Amém!

SALMO 50 – LUA NOVA E RECOMEÇO

Um salmo, por Assaf. Ó Todo-Poderoso, nosso Deus falou e convocou toda a terra, do levante ao poente. De Tsion, a beleza perfeita, ele apareceu. Que venha o nosso Deus e não se cale; um fogo devorador o precede, ao seu redor esbraveja a tempestade. Ele convoca os céus acima e a terra para julgar o seu povo. Juntem-se a Mim, meus devotos, que fizeram uma aliança comigo através de sacrifícios. Então os céus proclamaram sua retidão, pois o Eterno é o juiz. Escuta bem meu povo e eu falarei, ó Israel, e Eu prestarei testemunho. Eu sou o Eterno, teu Deus, Não te reprovarei pela falta de teus sacrifícios, pois tuas oferendas trazes a cada dia. Não requisito novilhos de teus cerrados nem cabritos de teus rebanhos. Pois Meu é todo animal da floresta, o gado que vagueia sobre os montes. Conheço cada ave das montanhas, e cada criatura que rasteja pelos campos. Se Eu tivesse fome, não te contaria, pois a Mim pertence o universo e tudo que há nele. Necessito comer a carne dos novilhos ou o sangue dos cabritos? Oferece antes um sacrifício de agradecimento e cumpre teus votos para com o altíssimo. Clama por mim no dia da aflição, eu te libertarei e tu me honrarás. Mas, para os ímpios, diz o Eterno: "Para que recitas minhas leis e tens em teus lábios as palavras da minha aliança?" Tu que abominas qualquer disciplina e renegas minhas palavras. Ao encontrar um ladrão, a ele te associas e por companhia busca os adúlteros. Tua boca dedicaste ao mal e tua língua à falsidade. Assim que sentas, contra teu irmão tu falas, contra o filho de tua mãe espalhas desonra. Assim agiste e poderei Eu ficar calado? Pensaste que Eu fosse como tu? Mas sabes que não. Censurar-te-ei e abertamente te julgarei. Compreende bem que tu esqueceste do Eterno para que Eu não te destrua sem que possas te salvar. Aquele que traz oferendas de agradecimento honra a Mim; e aquele que procura sempre melhorar o seu caminho, a este mostrarei a redenção divina. Amém!

SALMO 67 – VISÃO DA ERA DO MASHIACH FÍSICA

Ao mestre do canto, sobre instrumentos de cordas, um salmo, um cântico. Que o Eterno nos conceda Sua graça e nos abençoe, e que faça sobre nós resplandecer Seu rosto, para que na terra seja conhecido Seu caminho, e entre todas as nações, Sua salvação. Ergam-Te graças todos os povos. Que todos eles cantem em Teu louvor. Alegrem-se e rejubilem todas as nações, porque com equidade as julgarás, e pelo caminho reto as conduzirás. Ergam-Te graças todos os povos. Que todos eles cantem em Teu louvor. Possa então a terra produzir em abundância seus frutos; possa o Eterno, nosso Deus, nos abençoar. Sim, possa Ele nos abençoar e ser reverenciado e temido até os confins da terra. Amém!

SALMO 91 – LIMPEZA ESPIRITUAL

Aquele que habita na morada do Altíssimo, em sua sombra descansará. Direi do Senhor: Ele é o meu Deus, o meu refúgio, a minha fortaleza, onde deposito minha confiança. Ele te livrará do laço da armadilha, da peste devastadora. Ele te cobrirá com as suas penas, e sob suas asas encontrarás abrigo; a sua verdade será o seu escudo. Não temas o terror da noite nem a seta que voa de dia, nem a peste que anda na escuridão, nem o destruidor que assola ao meio-dia. Podem cair mil ao seu lado e dez mil à tua direita, mas tu não serás atingido. Somente teus olhos contemplarão e verão a recompensa dos ímpios. Pois disseste: "Adonai é o meu refúgio. E no Altíssimo fizeste tua morada. Nenhum mal te sucederá nem praga alguma chegará a tua tenda. Pois ele designará seus anjos para guardarem todos os seus caminhos. Te sustentarão nas mãos, para que não tropeces com o teu pé em qualquer pedra. Sem perigo pisarás o leão e a cobra, o filho do leão e a serpente. Porque ele me deseja, eu o livrarei; fortificar-lhe-ei porque conheces meu nome. Ele me invocará, e eu lhe responderei; Eu estou com ele na aflição; dela o retirarei, e honrarei. Fartá-lo-ei com vida longa, e o farei ver meu poder salvador.

SALMO 92 – SHABAT

Como é bom celebrar Adonai, entoar Teu nome, supremo. Relatar pela manhã Tua bondade, e à noite Tua fidelidade. Ao alaúde, à harpa e ao murmúrio da lira junto as minhas palavras. Sim, Tu me regozijas, Adonai, por Tua obra; o feito de Tuas mãos. Adonai, como são grandes Teus feitos e profundos Teus pensamentos! O homem estúpido não o penetra, o tolo não entende que todos os obreiros da fraude crescem como erva, para serem exterminados para sempre. Tu, altaneiro, em perenidade, Adonai! Pois Teus inimigos, Adonai; sim, Teus inimigos perderão; todos os obreiros da fraude se dispersarão. Exaltas minha verdadeira força como a de um antílope. Estou repleto de óleo luxuriante. Meu olho observa os que me fixam; meu ouvido ouve os que se erguem contra mim, os malfeitores. O justo crescerá como uma palmeira; como o cedro do Líbano. Plantados na casa de Adonai, eles florescerão. Nos átrios de nosso Elohim eles prosperam na senescência, repletos de seiva e viço produzirão frutos para relatar o quão reto és Adonai. Minha rocha, com pureza e justiça! Amém!

SALMO 112 – INTEGRIDADE

Aleluia! Louvado seja o Eterno! Bem-aventurado é o homem que teme o Eterno e que se dedica a cumprir seus preceitos. Poderosa na terra será sua semente, uma geração de honestos abençoada. Fartura haverá em sua casa, e sua generosidade permanece para sempre. Brilha na escuridão uma luz para os íntegros, pois Ele é misericordioso e justo. Bem haverá ao homem que tem compaixão e que auxilia a quem precisa, e que seus negócios conduz com justiça. Nunca será abalado. Será sempre lembrado como justo. Não recuará com o rumor negativo, pois seu coração firmemente confia no Eterno. Ele está seguro e sem temor, e assistirá ao fracasso de seus inimigos. Ele distribui aos necessitados, firme em sua bondade e com glória será exaltado. O transgressor ao ver se revoltará e inutilmente rangerá seus dentes, pois perecerá em sua ambição. Amém!

SALMO 113 – FERTILIDADE

Aleluia! Louvem Adonai, ó servos de Adonai, louvem o Seu nome! Seja bendito o nome de Adonai, desde agora e para sempre! Do nascente ao poente, seja louvado o nome de Adonai! Acima de todas as nações está o nome de Adonai e acima dos céus está a Sua glória. Quem é como Adonai, nosso Deus, que reina em Seu trono nas alturas, mas se inclina para contemplar o que acontece nos céus e na terra? Ele ergue do pó o necessitado, o ergue do lixo, para fazê-lo sentar com príncipes, com os príncipes do seu povo. Ele transforma a mulher estéril em uma dona de casa, em uma alegre mãe de filhos. Aleluia!

SALMO 121 – PROTEÇÃO

Um cântico para ascensão. Ergo meus olhos para o alto de onde virá meu auxílio. Meu socorro vem do Eterno, o Criador dos céus e da terra. Ele não permitirá que resvale teu pé, pois jamais se omite Aquele que te guarda. Nosso guardião jamais descuida, jamais dorme. Deus é tua proteção. Como uma sombra, te acompanha à Sua Destra. De dia não te molestará o sol, nem sofrerás de noite sob o brilho da lua. O Eterno te guardará de todo mal; Ele preservará tua alma. Estarás sob Sua proteção ao saíres e ao voltares, desde agora e para todo o sempre. Amém!

GUIA DE MEDITAÇÕES

Permutações e Estado de Bitul

MEDITAÇÕES

A meditação é a ferramenta que pode cessar o grande tráfego, o barulho incessante, para que a paz e o silêncio voltem a reinar. E o primeiro passo para o ser meditativo é a quebra da identificação com a mente. Quando você se conscientiza de que é algo além da sua mente, então recupera um estado original, a paz que aproxima do criador.

Mas para não ficar como o erudito, que Sabe, mas não vivencia, precisamos de algo útil, para usar diante da tristeza e da alegria e que ajude a entender nossa participação na existência. Uma ferramenta preciosa chamada meditação.

A prática de meditação cabalista penetra em um local único, inatingível pela via intelectual, e que possibilita a realização de uma das coisas mais difíceis na vida de um homem: sua real transformação.

As meditações a seguir surgiram há milhares de anos, reveladas a seletos homens místicos, altamente desenvolvidos espiritualmente, abrindo portas e a visão espiritual para aqueles que trilham o caminho da autorrealização.

Procure, se preparar para essas práticas, sempre, antes de iniciá-las, limpando a mente com alguns minutos de silêncio e elevando a vibração. O caminho que nos conecta ao Eterno é magnífico e abençoado.

MEDITAÇÃO ABULAFIANA

Permutações e Estado de Bitul

Abulafia foi um incrível e revolucionário mestre da Cabala. De uma antirracionalidade notável para sua época, ele desenvolveu uma série de manuais de permutação de letras hebraicas, base de seu trabalho. Combinando e permutando as letras hebraicas, os discípulos de Abulafia experimentavam profundas experiências místicas, intensos estados de transe.

A meditação a seguir segue estes princípios, passando por diversos estágios que envolvem respiração, visualização de letras sagradas, vocalizações de mantras, silêncio, ampliando significativamente nossa consciência e visão espiritual.

O ato de recitar palavras sagradas e se comunicar diretamente com o criador possui um imenso poder purificador. Os sete versos de Ana Becoach evocam a força da criação. Uma oração abençoada, com 42 palavras mágicas, que abrem caminho para transcendermos o mundo físico e nos reconectarmos à semente original da criação.

ORAÇÃO ANA BECOACH

צ TSERURA	ת TATIR	י YEMINCHÁ	ג GUEDULAT	ב BECOACH	א ANA
נ NORÁ	ט TAHAREINU	ש SAGVEINU	ע AMECHA	ר RINAT	ק KABEL
ש SHOMREM	כ KEVAVAT	י YICHUDECHÁ	ד DORSHEI	ג GIBOR	נ NA
ג GOMLEM	ת TAMID	צ TSIDKATECHÁ	ר RACHAMEI	ט TAHAREM	ב BARCHEM
ע ADATECHA	נ NAHEL	ט TUVCHA	ב BEROV	ק KADOSH	ח CHASSIN
ק KEDUSHATECHÁ	ז ZOCHREI	פ PENEI	ל LEAMECHA	ג GEE	י YACHID
ת TA ' ALUMOT	י YODEA	צ TSAKATEINU	ו USHMÁ	ק KABEL	ש SHAVATEINU

EM SILÊNCIO – VAED OLAM LE MALCHUTO KEVOD SHEM BARUCH

MEDITAÇÃO 72 NOMES DE DEUS

כהת	אכא	ללה	מהש	עלם	סיט	ילי	והו
הקם	הרי	מבה	יזל	ההע	לאו	אלד	הזי
חהו	מלה	ייי	נלך	פהל	לוו	כלי	לאו
ושר	לכב	אום	ריי	שאה	ירת	האא	נתה
ייז	רהע	חעם	אני	מנד	כוק	להח	יחו
מיה	עשל	ערי	סאל	ילה	וול	מיכ	ההה
פוי	מבה	נית	ננא	עמם	החש	דני	והו
מחי	ענו	יהה	ומב	מצר	הרח	ייל	נמם
מום	היי	יבמ	ראה	חבו	איע	מנק	דמב

Os 72 nomes de Deus* são uma poderosa meditação cabalista que deve ser feita diariamente e que nos ajuda a enxergar o que está além dos olhos físicos.

* Caso você ainda não saiba meditar nos 72 nomes de Deus, recomendamos a leitura de *O poder de realização da Cabala* ou *A Cabala e a arte de ser feliz.*

Esta meditação funciona como um "autopasse" energético. Durante sua realização, visualizamos as letras de cima para baixo (de 1 até 17), projetando e encostando levemente a mão direita sobre a área do corpo especificada.

<table>
<tr><th colspan="2">TIKUN HÁ NEFESH</th></tr>
<tr><td colspan="2">1. ALTO DA CABEÇA – KETER
יהוה</td></tr>
<tr><td>3. LADO ESQUERDO DA CABEÇA – BINÁ
יהוה</td><td>2. LADO DIREITO DA CABEÇA – CHOCHMÁ
יהוה</td></tr>
<tr><td>5. OLHO ESQUERDO
יהוה יהוה
יהוה
יהוה יהוה</td><td>4. OLHO DIREITO
יהוה יהוה
יהוה
יהוה יהוה</td></tr>
<tr><td>7. NARINA ESQUERDA
יוד הי ואו הי</td><td>6. NARINA DIREITA
יוד הי ואו הי</td></tr>
<tr><td>9. ORELHA ESQUERDA
יוד הי ואו הה</td><td>8. ORELHA DIREITA
יוד הי ואו הה</td></tr>
<tr><td colspan="2">10. BOCA
אהיה
יוד הי ואו הי</td></tr>
<tr><td>12. BRAÇO ESQUERDO – GUEVURÁ
יהוה</td><td>11. BRAÇO DIREITO – CHESSED
יהוה</td></tr>
<tr><td colspan="2">13. PEITO E PLEXO – TIFERET
יהוה</td></tr>
<tr><td colspan="2">14. ÓRGÃOS SEXUAIS – YESSOD
יו הו וו הו</td></tr>
<tr><td>16. PERNA ESQUERDA – HOD
יהוה</td><td>15. PERNA DIREITA – NETZACH
יהוה</td></tr>
<tr><td colspan="2">17. PÉS – MALCHUT
יהוהאדני</td></tr>
</table>

Visualizar o Tetragrama da seguinte forma:

- O topo da letra Yud, focando toda sua atenção à respiração.
- Toda a letra Yud, percebendo todos os ossos do seu corpo.
- A letra Hei, focando toda sua atenção no sistema circulatório.
- A letra Vav, focando toda sua atenção nos órgãos do corpo.
- A letra Hei, percebendo toda a pele de seu corpo.
- Todo o Tetragrama, focando toda sua atenção à respiração.

TETRAGRAMA – AS 12 PERMUTAÇÕES

Utilizar o anexo com as 12 permutações do Tetragrama. Faça para cada uma delas uma longa inspiração e vocalize a permutação durante toda a expiração.

הוהי	יוהה	יההו	יהוה
HEVEHOY	YEUHAHA	YIHAHAVE	YIHAVEHA
וההי	והיה	ההוי	הויה
UHAHAI	VAHOYAHA	HUHIVAY	HAUYHA
ההיו	היוה	היהו	ויהה
HIHEIVA	HAIVEHU	HAYIHUVE	VAYOHAHA

MIVTAS – MANTRAS

Escolher uma das vocalizações abaixo e repetir por quanto tempo desejar. Elas nos permitem entrar em contato com as energias primordiais do universo, obra do Criador.

1º - RUACH ELOHIM CHAIM

2º - RUACH ME RUACH

3º - MAIM ME RUACH

4º - KADOSH KADOSH KADOSH... ADONAI ELOHIM TSEVAOT

OBSERVAÇÃO E SILÊNCIO FINAL

Passamos ao menos oito minutos observando tudo que acontece. Conexão total com o momento.

ORAÇÃO SHEMÁ YISRAEL

Proclamamos nossa unicidade com o Criador e nos dirigimos à Terra Prometida, dimensão que traz sentido à nossa existência. Com a mão direita sobre os olhos recitamos:

SHEMÁ YISRAEL, ADONAI ELOHÊINU, ADONAI E-CHA-D.

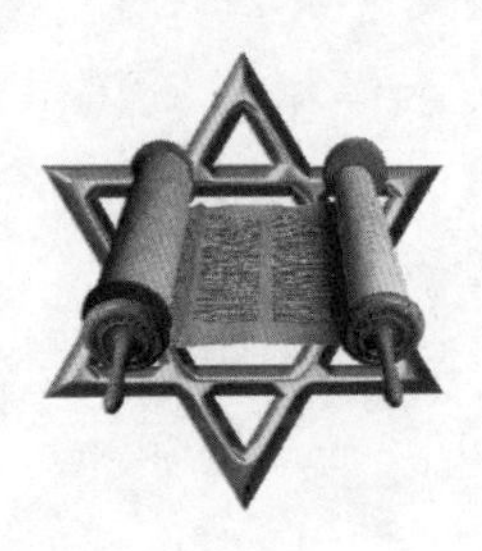

MEDITAÇÃO DOS 231 CAMINHOS

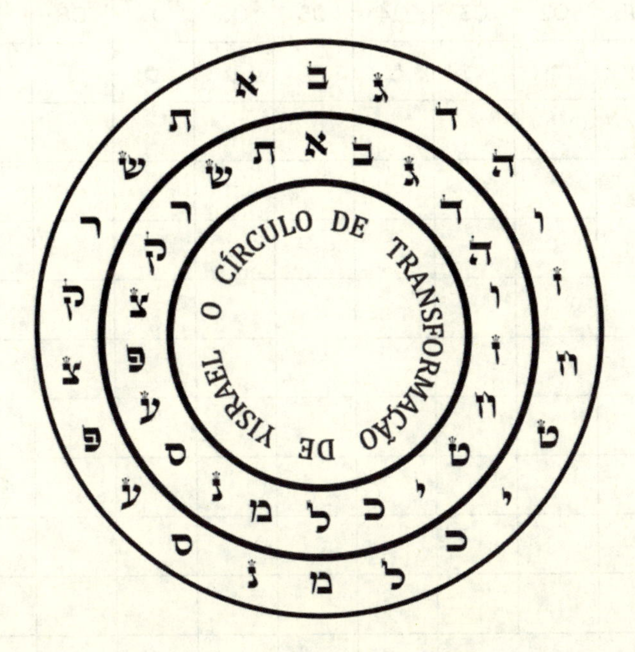

Entre os inúmeros códigos do *Sefer Ietsirá*, um revela uma meditação mágica: *o círculo dos 231 caminhos*. Eles representam o número de combinações em dupla, que podem ser feitas entre as 22 letras hebraicas, base da mais poderosa meditação cabalística. São forças que ligam ao divino, trazendo para o mundo físico as mais poderosas energias espirituais.

É também uma permutação do novo nome de Jacob, Israel, que venceu o anjo da morte em um local conhecido como o "círculo da transformação". Segundo os antigos místicos cabalistas, é dentro desse círculo que o *Sefer* revela os segredos da recriação da vida. Diferentemente das outras meditações, esta é feita por coluna. Na primeira coluna você irá fazer 21 respirações; na segunda serão 20; na terceira, 19, e assim por diante, até a última. Serão ao todo 231 respirações de contato com o sagrado.

MEDITAÇÃO DOS 231 CAMINHOS

00	01	02	03	04	05	06	07	08	09	10
ת	ש	ר	ק	צ	פ	ע	ס	נ	מ	ל
										לם
									מנ	לנ
								נס	מס	לס
							סע	נע	מע	לע
						עפ	ספ	נפ	מפ	לפ
					פצ	עצ	סצ	נצ	מצ	לצ
				צק	פק	עק	סק	נק	מק	לק
			קר	צר	פר	ער	סר	נר	מר	לר
		רש	קש	צש	פש	עש	סש	נש	מש	לש
	שת	רת	קת	צת	פת	עת	סת	נת	מת	לת

O CÍRCULO DE TRANSFORMAÇÃO DE YAACOV

11	12	13	14	15	16	17	18	19	20	21
כ	י	ט	ח	ז	ו	ה	ד	ג	ב	א
										אב
									בג	אג
								גד	בד	אד
							דה	גה	בה	אה
						הו	דו	גו	בו	או
					וז	הז	דז	גז	בז	אז
				זח	וח	הח	דח	גח	בח	אח
			חט	זט	וט	הט	דט	גט	בט	אט
		טי	חי	זי	וי	הי	די	גי	בי	אי
	יכ	טכ	חכ	זכ	וכ	הכ	דכ	גכ	בכ	אכ
כל	יל	טל	חל	זל	ול	הל	דל	גל	בל	אל
כמ	ימ	טמ	חמ	זמ	ומ	המ	דמ	גמ	במ	אמ
כנ	ינ	טנ	חנ	זנ	ונ	הנ	דנ	גנ	בנ	אנ
כס	יס	טס	חס	זס	וס	הס	דס	גס	בס	אס
כע	יע	טע	חע	זע	וע	הע	דע	גע	בע	אע
כפ	יפ	טפ	חפ	זפ	ופ	הפ	דפ	גפ	בפ	אפ
כצ	יצ	טצ	חצ	זצ	וצ	הצ	דצ	גצ	בצ	אצ
כק	יק	טק	חק	זק	וק	הק	דק	גק	בק	אק
כר	יר	טר	חר	זר	ור	הר	דר	גר	בר	אר
כש	יש	טש	חש	זש	וש	הש	דש	גש	בש	אש
כת	ית	טת	חת	זת	ות	הת	דת	גת	בת	את

MEDITAÇÕES COM OS 72 ANJOS CABALÍSTICOS

Limpeza de todos os canais e reconexão pelo contato com os 72 anjos cabalísticos

Este é um poderoso exercício de meditação, com duração de cerca de 30 minutos: um grande remédio espiritual e sem efeitos colaterais.

O processo consiste em uma conexão com todos os 72 anjos cabalísticos. Todos são importantes, porque cada um descreve um diferente aspecto de nossa vida e através deles podemos purificar todos os canais de recebimento da luz. Meditamos nos 72 anjos da Cabala em sequência, um após o outro. Para cada um deles, devemos nos conectar com 4 informações:

CONEXÃO PARA (amor, prosperidade, saúde etc.)

É preciso que você reconheça o aspecto de sua personalidade relacionado ao anjo, para ampliar a sua consciência sobre o tema.

MEDITAÇÃO

Podemos fazer reestruturar a nossa alma, através da sintonia com estes grupos de letras, que formam os 72 anjos cabalísticos.

A simples visualização das letras sagradas do anjo traz muita luz ao tema do mesmo.

VOCALIZAÇÃO

A vocalização relacionada ao anjo potencializa ainda mais a conexão e deve ser feita neste exercício 3 vezes para cada anjo, entoadas como se faz com um mantra.

SALMO

Os salmos de Davi emanam uma força que vai muito além das palavras aparentes. Para cada anjo há um versículo de um salmo relacionado, que você deve recitar em voz alta, no momento da conexão. Lembre-se sempre o quanto a palavra tem poder de criar realidade.

Experimente injetar luz em sua vida, através destas conexões com os anjos. Faça todas elas de uma só vez, até chegar ao fim. Procure, entretanto, reservar alguns minutos antes e depois do exercício, para ficar um pouco em silêncio e assim purificar a mente e o espírito.

SQ	SOPRO	CONEXÃO PARA:
01	והו VERRÚ	**A FORÇA DE SUPERAÇÃO** SALMO: 3,4 – “Tu, meu Deus, és um escudo a me proteger. És minha glória, a razão de se manter erguida minha cabeça.”
02	ילי IELÍ	**EVITAR OS CONFLITOS** SALMO: 22,20 – “Mas Tu, ó Eterno, eu Te peço, não Te afastes de mim; ó minha Força, apressa-te e vem em meu auxílio.”
03	סיט SEIAT	**CRIAR UM ESCUDO DE PROTEÇÃO** SALMO: 94,22 – “O Eterno é meu baluarte, meu refúgio, a alta rocha em que me abrigo.”
04	עלם OLAM	**ELIMINAR OS PENSAMENTOS NEGATIVOS** SALMO: 6,5 – “Retorna, ó Eterno, e livra minha alma; salva-me por Tua imensa misericórdia.”
05	מהש MERRASH	**A SAÚDE** SALMO: 34,5 – “Busquei o Eterno e Ele me respondeu, e de todos os meus temores me livrou.”
06	ללה LÊLÁ	**A VISÃO PROFÉTICA** SALMO: 9,12 – “Cantem louvores ao Senhor que habita em Sion, proclamem Seus atos entre as nações.”

SQ	SOPRO	CONEXÃO PARA:
07	אכא ACÁ	**SABEDORIA E PROTEÇÃO MATERIAL** SALMO: 103,8 - "Misericordioso e compadecido é o Senhor, lento para a ira e abundantemente benevolente."
08	כהת KERRAT	**REMOVER IMPULSO NEGATIVO** SALMO: 95,6 - "Venham! Prostremo-nos e inclinemo-nos, ajoelhemo-nos diante do Senhor, nosso Criador."
09	הזי RRAZAI	**A ALEGRIA** SALMO: 25,6 - "Lembra Tuas misericórdias, Senhor, e Tuas benevolências, pois elas estão desde o princípio do mundo."
10	אלד ALAD	**REMOVER O OLHAR NEGATIVO** SALMO: 33,22 - "Que Tua benevolência, Senhor, esteja sobre nós, conforme Te aguardamos."
11	לאו LAAV	**O REFINAMENTO** SALMO: 18,47 - "O Senhor vive e abençoado é meu rochedo! Exaltado seja o Deus da minha salvação."
12	ההע HAHA	**O AMOR** SALMO: 9,10 - "O Senhor será uma cidadela de força para o oprimido, uma cidadela de força em tempos de aflição."

SQ	SOPRO	CONEXÃO PARA:
13	יזל IEZAL	**ENXERGAR A BELEZA** SALMO: 98,4 – "Clame ao Senhor toda a terra, abram suas bocas e cantem cânticos alegres e toquem música."
14	מבה MABÁ	**FORÇA PARA GRANDES DECISÕES** SALMO: 9,10 – "O Senhor será uma cidadela de força para o oprimido, uma cidadela de força em tempos de aflição."
15	הרי RRERI	**A VISÃO CRIATIVA** SALMO: 94,22 – "Então, o Senhor se tornou uma fortaleza para mim, e meu Deus, a Rocha do meu refúgio."
16	הקם RREKAM	**A CORAGEM** SALMO: 88,2 – "Senhor, Deus de minha salvação, de dia eu clamo, de noite estou diante de Ti."
17	לאו LEÚ	**REFINAMENTO DAS EMOÇÕES** SALMO: 8,10 – "Senhor, nosso Senhor, quão poderoso é Teu Nome através de toda a terra!"
18	כלי CLI	**A FERTILIDADE** SALMO: 7,9 – "O Senhor punirá as nações; mas julga-me, Senhor, de acordo com minha retidão e integridade."

SQ	SOPRO	CONEXÃO PARA:
19	לוו LEVU	**A CONCENTRAÇÃO** SALMO: 40,2 – “No Eterno depositei minha esperança e ele para mim se inclinou, e minha prece ouviu.”
20	פהל PERRIL	**AFASTAR OS VÍCIOS** SALMO: 120,2 – “Senhor, livra minha alma dos lábios mentirosos, de uma língua enganadora.”
21	נלך NALAH	**A BOA SORTE** SALMO: 31,15 – “Mas em Ti confiei, Eterno, e exclamei: ‘Tu és meu Deus!’”
22	ייי IEIAI	**A PROTEÇÃO DOS MESTRES** SALMO: 121,5 – “Deus é Tua proteção. Como uma sombra, te acompanha à Sua Destra.”
23	מלה MELAH	**PROTEÇÃO PARA VIAGENS** SALMO: 121,8 – “Estarás sob Sua proteção ao saíres e ao voltares, desde agora e para todo o sempre.”
24	חהו RRARRÚ	**A PAZ** SALMO: 33,18 – “Eis que o olho do Senhor está naqueles que o temem, sobre aqueles que aguardam Sua benevolência.”

SQ	SOPRO	CONEXÃO PARA:
25	נתה NETAH	**A PROTEÇÃO OCULTA** SALMO: 9,2 – “Eu agradecerei ao Senhor com todo o meu coração e proclamarei todos Teus maravilhosos atos.”
26	האא RRAIAH	**A DISCIPLINA** SALMO: 119,145 – “Eu chamei com todo o meu coração; responde-me, Senhor. Eu conservarei Teus estatutos.”
27	ירת IRAT	**VENCER OS TIRANOS** SALMO: 140,2 – “Livra-me, Senhor, do homem perverso, do homem de violência preserva-me.”
28	שאה SHAA	**BONS RELACIONAMENTOS** SALMO: 71,12 – “Ó Deus, não fiques longe de mim, ó meu Deus, apressa-Te em minha assistência.”
29	ריי REEÍ	**O SER CONTEMPLATIVO** SALMO: 54,6 – “Eis que Deus é meu auxiliador, meu Senhor está com os apoiadores da minha alma.”
30	אום ÔOM	**A ESPERANÇA** SALMO: 71,5 – “Pois Tu és minha esperança, meu Senhor, minha segurança desde minha juventude.”

SQ	SOPRO	CONEXÃO PARA:
31	לכב LECAV	**A PERMANÊNCIA** SALMO: 71,15-16 – “Minha boca falará da Tua retidão, o dia inteiro da Tua salvação, pois não conheço seus números. Viverei com os atos poderosos do meu Senhor.”
32	ושר VESHAR	**ROMPER COM A REPETIÇÃO** SALMO: 33,4 – “Pois íntegra é a palavra do Senhor, e todo Seu ato é feito com fé.”
33	יחו IERRÚ	**TRANSFORMAR SOMBRA EM LUZ** SALMO: 33,11 – “Mas o conselho do Senhor permanece para sempre, os desígnios do Seu coração, por todas as gerações.”
34	להח LERRÁ	**O PERDÃO** SALMO: 131,3 – “Espere tranquilo e confiante no Eterno, você que busca a Luz, agora e por todo o sempre.”
35	כוק KEVÁK	**A HARMONIA SEXUAL** SALMO: 116,1 – “Amo ao Eterno porque Ele ouve minha voz e minhas súplicas.”
36	מנד MENAD	**A FORÇA DE CONSTRUÇÃO** SALMO: 26,8 – “Ó Eterno, amo o Templo de Tua morada, o lugar onde habita Tua glória!”

SQ	SOPRO	CONEXÃO PARA:
37	אני ANI	**O EU VERDADEIRO** SALMO: 80,8 – “Restaura-nos ó Deus dos Exércitos! Faze sobre nós resplandecer Tua face, e então seremos salvos.”
38	חעם RRÊEM	**COMPARTILHAR** SALMO: 91,9 – “Pois disseste: ‘O Eterno é meu refúgio’, e fizeste tua a morada do Altíssimo.”
39	רהע RIRRÁ	**A CURA AO MUNDO** SALMO: 30,11 – “Ouve, Senhor, e favorece--me Senhor, sê meu auxiliador!”
40	ייז IIAZ	**COMBATER O PÂNICO** SALMO: 88,14 – “Porém, eu a Ti, Senhor, tenho clamado, e pela manhã minha prece Te saudará.”
41	ההה HAHA	**O EQUILÍBRIO EMOCIONAL** SALMO: 120,2 – “Senhor, livra minha alma dos lábios mentirosos, de uma língua enganadora.”
42	מיכ MIAK	**A CONSCIÊNCIA DA SEMENTE** SALMO: 121,7 – “O Senhor te protegerá de todo mal, Ele guardará tua alma.”

SQ	SOPRO	CONEXÃO PARA:
43	וול VEVAL	**COMBATER OS VÍCIOS** SALMO: 88,14 – "Quanto a mim, a Ti ergo minhas súplicas e, desde o alvorecer, a Ti chega minha prece."
44	ילה IÊLAH	**JULGAMENTOS MAIS BRANDOS** SALMO: 119,108 – "Aceita favoravelmente as oferendas de meus lábios e ensina-me Teus juízos."
45	סאל SEAL	**A PROSPERIDADE** SALMO: 94,18 – "Se eu dissesse 'meu pé está escorregando', Tua benevolência, Senhor, me suportaria."
46	ערי ARI	**ELIMINAR A DÚVIDA** SALMO: 145,9 – "O Senhor é bom para todos, e Suas misericórdias estão em todas as Suas criaturas."
47	עשל ESHAL	**REVELAR TESOUROS OCULTOS** SALMO: 104,24 – "Quão abundantes são Tuas obras, Senhor; com sabedoria Tu as fizeste todas, a terra está cheia de Tuas posses."
48	מיה MIAH	**HARMONIA PARA UM RELACIONAMENTO** SALMO: 98,2 – "O Eterno fez com que todos os povos percebessem Seu poder salvador e Sua justiça."

SQ	SOPRO	CONEXÃO PARA:
49	והו VERRÚ	**ELIMINAR O SOFRIMENTO PELA VISÃO** SALMO: 145,3 – "Grande é o Eterno e digno de todos os louvores, pois incomensurável é Sua grandeza."
50	דני DÂNI	**APROXIMAR-SE DA LUZ** SALMO: 103,8 – "Misericordioso e compadecido é o Senhor, lento para a ira e abundantemente benevolente."
51	החש ARRÁSH	**A AUTOCRÍTICA** SALMO: 104,31 – "Que a glória do Senhor dure para sempre; que o Senhor rejubile com Suas obras."
52	עמם AMAM	**AFASTAR O INIMIGO** SALMO: 7,18 – "Eu agradecerei ao Senhor de acordo com Sua retidão e cantarei louvores ao nome do Senhor, Altíssimo."
53	ננא NINÁ	**A MEMÓRIA CRIATIVA** SALMO: 119,13 – "Meus lábios enumeram todas as leis que proclamaste."
54	נית NIÁT	**AFASTAR O ANJO DA MORTE** SALMO: 103,19 – "Nos céus estabeleceu Seu trono o Eterno, e Seu reino a tudo alcança."

SQ	SOPRO	CONEXÃO PARA:
55	מבה MABÁ	**O PROPÓSITO FÉRTIL** SALMO: 102,13 - "Mas Tu, ó Eterno, para sempre estarás perante nós entronizado, e por todas as gerações não deixará Teu nome de ser lembrado."
56	פוי PEVÍ	**ELIMINAR A IDOLATRIA** SALMO: 145,14 - "O Eterno suporta todos os caídos e endireita os curvados."
57	נמם NÊMIM	**A PURIFICAÇÃO** SALMO: 115,11 - "Os que temem o Eterno! Confiem no Eterno. Ele é sua ajuda e seu escudo!"
58	ייל IEIAL	**REMOVER AS CASCAS DA VISÃO** SALMO: 6,4 - "Abalada está minha alma; e Tu, Eterno, até quando me deixarás abandonado?"
59	הרח RRARÁR	**RECONECTAR COM A FONTE DE LUZ** SALMO: 113,3 "Do nascimento do sol a seu ocaso, seja o Nome do Eterno louvado."
60	מצר METSÁR	**TRAZER FORÇA PARA ATRAVESSAR O DESERTO** SALMO: 145,17 - "O Eterno é justo em todos os Seus caminhos, e magnânimo em todos os Seus atos."

SQ	SOPRO	CONEXÃO PARA:
61	ומב VAMAV	**FORTALECER AMIZADES** SALMO: 113,2 – "Seja bendito Seu Nome, desde agora e para todo o sempre."
62	יהה IEHÁ	**A GRATIDÃO** SALMO: 119,159 – "Vê como amo Teus preceitos, ó Eterno, e mantém minha vida conforme tua misericórdia."
63	ענו ANU	**A HUMILDADE** SALMO: 2,11 – "Servi ao Eterno com reverência e regozijai-vos com temor e respeito."
64	מחי MERRÍ	**ENXERGAR O MAIS POSITIVO** SALMO: 33,18 – "Os olhos do Eterno fitam os que O temem, e dão atenção aos que esperam por Sua benevolência."
65	דמב DEMÁV	**DIMINUIR A CONFUSÃO MENTAL** SALMO: 90,13 – "Volta-te para nós, ó Eterno! Até quando teremos de esperar? Volta-te para Teus servos!"
66	מנק MENÁK	**A BÊNÇÃO DA CURA** SALMO: 38,22 – "Não me abandones, ó eterno, meu deus! Não Te afastes de mim."

SQ	SOPRO	CONEXÃO PARA:
67	איע AIÁ	**O PRESENTE** SALMO: 37,4 - "Tem prazer no Eterno, para que Ele possa te conceder os desejos de teu coração."
68	חבו RRAVÚ	**PENSAMENTO E AÇÃO COERENTES** SALMO: 108,1 - "Louvado seja o Eterno! Louvai porque imensa é Sua bondade e eterna Sua misericórdia."
69	ראה RÊÊ	**A VISÃO CONSCIENTE** SALMO: 16,5 - "O Eterno é a porção da minha herança e do meu cálice. É de minha sorte, o sustentáculo."
70	יבם IEVÁM	**A RENOVAÇÃO** SALMO: "E disse Deus: Seja Luz! E Foi Luz". (Não há salmo para este anjo, mas sim a primeira frase da Torá.)
71	היי RRAIAI	**A VISÃO DO INVISÍVEL** SALMO: 109,30 - "Meus lábios agradecerão imensamente ao Eterno e minha boca Lhe erguerá louvores entre as multidões."
72	מום MÔÔM	**A IMORTALIDADE** SALMO: 116,7 - "Volta a ter sossego, alma minha, pois o Eterno para contigo foi bondoso."

CANTO DOS 72 SOPROS DE ELOHIM

כהת	אכא	ללה	מהש	עלם	סיט	ילי	והו
KERRAT	ACÁ	LÊLÁ	MERRASH	OLAM	SEIAT	IELÍ	VEHU
הקם	הרי	מבה	יזל	ההע	לאו	אלד	הזי
RREKAM	RRERI	MABÁH	YEZAL	HAHA	LAAV	ALAD	RRAZAI
חהו	מלה	ייי	נלך	פהל	לוו	כלי	לאו
RRARRÚ	MELAH	YEIYAI	NALARR	PERRIL	LEVU	CLI	LEÚ
ושר	לכב	אום	ריי	שאה	ירת	האא	נתה
VESHAR	LECAV	ÔOM	REYÍ	SHAH	IRAT	RRAIA	NETAH
ייז	רהע	חעם	אני	מנד	כוק	להח	יחו
IYAZ	RIRRÁ	RRÊÊM	ANI	MENAD	KEVAC	LERRÁCH	YEHU
מיה	עשל	ערי	סאל	ילה	וול	מיכ	ההה
MIAH	ESHAL	ARI	SEAL	YÊLAH	VEVAL	MIYAC	HAHA
פוי	מבה	נית	ננא	עמם	החש	דני	והו
PEVÍ	MABÁ	NIYÁT	NINÁ	AMAM	ARRÁSH	DÂNI	VEHU
מחי	ענו	יהה	ומב	מצר	הרח	ייל	נמם
MERRÍ	ANU	YEHÁ	VAMAV	METSÁR	RRARÁCH	IEIAL	NÊMIM
מום	היי	יבם	ראה	חבו	איע	מנק	דמב
MÔOM	RRAIAI	YEVÁM	RÊÊ	RRAVÚ	AYÁ	MENÁK	DEMÁV

MEDITAÇÃO MERCAVÁ

Mercavá em hebraico significa carruagem. Em termos místicos, faz alusão à carruagem na qual Elias teria ascendido os céus e designa estados elevados de consciência atingidos na imersão meditativa. A meditação a seguir é poderosa, dura de 20 a 30 minutos, recomendada para os que se dedicam de forma mais intensa ao caminho espiritual. Procure fazer sentado, com a coluna reta e os olhos fechados se encontrando no centro da testa.

EXERCÍCIO DE MEDITAÇÃO DIÁRIA

1) Oração Ana Becoach

Antes de iniciar, procure agradecer e recitar esta poderosa oração (página 16).

2) Respiração trocando narinas

Durante cerca de 5 minutos, faça uma respiração alternando narinas, sempre na expiração. Exemplo: inspira pela narina direita (enquanto tampa a esquerda com os dedos), expira pela esquerda; então inspira pela mesma narina, expira pela direita e assim sucessivamente.

3) 72 Nomes de Deus

São 72 respirações com os anjos da Cabala. Neste momento é preciso abrir os olhos para visualizar a tabela dos 72 Nomes de Deus (veja a próxima página). Cabe ressaltar, entretanto, que os cabalistas mais experientes conseguem visualizar todos os 72 nomes de olhos fechados, mas é algo que acontece com o passar do tempo e muita dedicação.

4) Mantras

Durante alguns minutos dedique-se a vocalizar mantras. Algumas sugestões: Merrash para a saúde; Seal para a prosperidade; Haha para o amor.

5) Respiração Intensa

Durante 5 minutos alterne sequências de respirações lentas, médias e rápidas, sempre inspirando e expirando pelas narinas.

6) Auto-Observação

Mais 5 minutos de respiração livre, coluna reta e atenção ao centro da testa e tudo que se revela no momento em que a mente compulsiva se despede.

7) Estado de presença e silêncio final

Durante toda a meditação pode haver música relaxante de fundo, mas nesta etapa final o ideal são pelo menos 5 minutos em total silêncio. E foco na respiração.

72 NOMES DE DEUS

כהת	אכא	ללה	מהש	עלם	סיט	ילי	והו
הקם	הרי	מבה	יזל	ההע	לאו	אלד	הזי
חהו	מלה	ייי	נלך	פהל	לוו	כלי	לאו
ושר	לכב	אום	ריי	שאה	ירת	האא	נתה
ייז	רהע	חעם	אני	מנד	כוק	להח	יחו
מיה	עשל	ערי	סאל	ילה	וול	מיכ	ההה
פוי	מבה	נית	ננא	עמם	החש	דני	והו
מחי	ענו	יהה	ומב	מצר	הרח	ייל	נמם
מום	היי	יבמ	ראה	חבו	איע	מנק	דמב

SIGNIFICADO DAS 22 LETRAS HEBRAICAS

א	ב	ג	ד
1. ALEF - O VAZIO	2. BEIT - A CONTRAÇÃO	3. GUIMEL - COMPARTILHAR	4. DALET - RECEBER
ה	ו	ז	ח
5. HEI - A AÇÃO	6. VAV - A VERTICALIDADE	7. ZAIN - O DISCERNIMENTO	8. CHET - O AFETO
ט	י	כ	ל
9. TETH - A FORÇA OCULTA	10. IUD - A PURIFICAÇÃO	11. CAF - CAUSA E EFEITO	12. LAMED - POR CIMA DAS ESTRELAS
מ	נ	ס	ע
13. MEM - A CURA	14. NUN - HUMILDADE	15. SAMECH - O PACTO	16. AYIN - A VISÃO SEM CASCAS
פ	צ	ק	ר
17. PEI - O PODER DAS PALAVRAS	18. TSADE - OS JUSTOS	19. KUF - A ALEGRIA	20. RESH - A SERENIDADE
ש	ת		
21. SHIN - O FOGO DA PAIXÃO	22. TAV - O RENASCIMENTO		

GUIA DE BÊNÇÃOS

Comandos para a conexão com o sagrado

PARA VESTIR O TALIT

"BARUCH ATÁ ADONAI, ELOHÊINU MÉLECH HÁ OLAM, ASHER KIDESHÁNU BEMITSVOTÁV VETSIVÁNU AL MITZVA TSITSIT."

PARA COLOCAR UMA MEZUZÁ

"BARUCH ATÁ ADONAI, ELOHÊINU MÉLECH HÁ OLAM, ASHER KIDESHÁNU BEMITSVOTÁV VETSIVÁNU LIKBOA MEZUZÁ."

PARA TOCAR O SHOFAR

"BARUCH ATÁ ADONAI, ELOHÊINU MÉLECH HÁ OLAM, ASHER KIDESHÁNU BEMITSVOTÁV VETSIVÁNU LISMOA COL SHOFAR."

PARA ACENDER UM INCENSO

"BARUCH ATÁ ADONAI, ELOHÊINU MÉLECH HÁ OLAM, BORÊ MINÊ BESSAMIM."

PARA ACENDER UMA VELA DE YOM TOV

"BARUCH ATÁ ADONAI, ELOHÊINU MÉLECH HÁ OLAM, ASHER KIDESHÁNU BEMITSVOTÁV VETSIVÁNU LEADLIK NER SHEL YOM TOV."

PARA ACENDER UMA VELA DE SHABAT

"BARUCH ATÁ ADONAI, ELOHÊINU MÉLECH HÁ OLAM, ASHER KIDESHÁNU BEMITSVOTÁV VETSIVÁNU LEADLIK NER SHEL SHABAT."

PARA ABENÇOAR A ÁGUA

"BARUCH ATÁ ADONAI, ELOHÊINU MÉLECH HÁ OLAM, SEACHOL NIHIA BIDVARO."

PARA ABENÇOAR O VINHO

"BARUCH ATÁ ADONAI, ELOHÊINU MÉLECH HÁ OLAM, BORÊ PRI AGAFEN."

PARA ABENÇOAR O PÃO

"BARUCH ATÁ ADONAI, ELOHÊINU MÉLECH HÁ OLAM, AMOTSI LECHEM MIN AARETZ."

PARA LAVAR AS MÃOS

"BARUCH ATÁ ADONAI, ELOHEINU MELECH HÁ OLAM, ASHER KIDESHÁNU BEMITSVOTÁV VETSIVÁNU, AL NETILAT YADÁIM."

EQUILÍBRIO PELAS 18 BÊNÇÃOS

BÊNÇÃO DOS 3 PILARES - ESCUDO DOS PATRIARCAS

Bendito sejas Tu, Eterno, nosso Deus e Deus de nossos ancestrais. Bendito sejas Tu, Adonai, escudo de Abrahão.
BARUCH ATA ADONAI, MAGUÊN AVRAHAM.

BÊNÇÃO DA IMORTALIDADE

Tu, Eterno, és Poderoso para sempre; és Tu que ressuscitas os mortos e és Potente em salvar.
BARUCH ATA ADONAI, MECHAIÊ AMETIM.

BÊNÇÃO DA SANTIFICAÇÃO

Bendito sejas Tu, Eterno, Deus Kadosh.
BARUCH ATA ADONAI, AEL ACADOSH. KADOSH, KADOSH, KADOSH ADONAI TSEVAOT, MELO CHÓL AÁRETS KEVODO.

BÊNÇÃO DA SABEDORIA

Bendito sejas Tu, Adonai que nos dota de compreensão e a sabedoria.
BARUCH ATÁ ADONAI, CHONÊN ADÁAT.

BÊNÇÃO DO RETORNO

Bendito sejas Tu, Adonai, que nos permite o retorno.
BARUCH ATÁ ADONAI, AROTSE BITESHUVÁ.

BÊNÇÃO DO PERDÃO

Bendito sejas Tu, Eterno, Misericordioso, que perdoas tudo.
BARUCH ATÁ ADONAI, CHANUN AMARBÊ LISLÔACH.

BÊNÇÃO DA REDENÇÃO

Tu és um Deus libertador e poderoso. Bendito sejas Tu, Adonai, nosso Redentor.
BARUCH ATÁ ADONAI, GOÊL YISRAEL.

BÊNÇÃO REFUÁ - CURA

Restaura a nossa saúde e concede-nos uma perfeita cura a todas as nossas feridas, pois Tu és Deus, Rei Misericordioso que cura. Bendito sejas Tu, Eterno, que curas os doentes do Teu povo.
BARUCH ATÁ ADONAI, ROFÊ CHOLÊ AMO YISRAEL.

BÊNÇÃO HASHANIM – SUSTENTO E PROSPERIDADE

Faz cair bênção sobre a terra e traz fartura pela Tua bondade. Bendito sejas Tu, Adonai, que abençoa os anos.
BARUCH ATÁ ADONAI, MEVARECH HASHANIM.

BÊNÇÃO KIBUTSGALUIÓT – O GRUPO

Bendito sejas Tu Adonai, que reúne os dispersos de nosso grupo.
BARUCH ATÁ ADONAI, MECABÊTS NIDCHÊ AMO YISRAEL.

BÊNÇÃO HASHAVAT MISHPAT – CARIDADE E JUSTIÇA

Tira de nós a aflição e a tristeza e reina sobre nós, depressa; Bendito sejas Tu, Adonai, Rei, que amas a caridade e a justiça.
BARUCH ATÁ ADONAI, MÉLECH OEV TSEDACÁ UMISHPAT.

BÊNÇÃO HAMINIM - SUPERA O MAL

Bendito sejas Tu, Adonai, que quebras os inimigos e domina o mal.
BARUCH ATÁ ADONAI, SHOVER OIEVIM UMACHNÍA ZEDIM.

BÊNÇÃO AL HATSADIKIM - AMPARO DOS JUSTOS

Sobre os justos e sobre os piedosos, sobre os mestres verdadeiros e sobre nós, desperta a Tua misericórdia, pois em Ti confiamos verdadeiramente. Bendito sejas Tu, Adonai, que és o amparo e a segurança dos justos.
BARUCH ATÁ ADONAI, MISH'NA UMIVTACH LATSADIKIM.

BÊNÇÃO BINIAN YIERUSHALÁYIM - SEGURANÇA

Bendito sejas Tu, Adonai, que reconstróis nossa segurança emocional e física.
BARUCH ATÁ ADONAI, BONÊ YIERUSHALÁYIM.

BÊNÇÃO MASHIACH BEN DAVID - SALVAÇÃO

Bendito sejas Tu, Adonai, que fazes brotar o poder de salvação.
BARUCH ATÁ ADONAI, MATSMÍACH KÉREN IESHUÁ.

BÊNÇÃO SHOMÊA TEFILÁ - ESCUTA NOSSA ORAÇÃO

Concede-nos a Tua graça, atende-nos e ouve nossas orações, pois Tu ouves as orações de todo o teu povo. Bendito sejas Tu, Adonai, que ouves as orações.
BARUCH ATÁ ADONAI, SHOMÊA TEFILÁ.

BÊNÇÃO AVODÁ - ACEITAÇÃO

Adonai, nosso Deus, que nosso serviço de oração e meditação seja sempre aceitável perante Ti.

BÊNÇÃO HODAÁ - HUMILDADE E LOUVOR

Nós reconhecemos, humildemente, que és Adonai, nosso Deus e Deus de nossos ancestrais, agora e sempre. Tu és o rochedo da nossa salvação. Nós Te agradecemos e entoamos louvores, pela nossa vida que está em Tuas mãos e nossa alma que Tu preservas, pelos milagres que nos fazes diariamente, as maravilhas com as quais nos cerca e as bondades que testemunhamos a toda hora. Deus de bondade, a Tua misericórdia é infinita, as Tuas graças não se esgotam nunca, a nossa esperança será eternamente em Ti.

Faze recair sobre todos nós uma grande paz, bem-estar e bênção de vida e amor, graça e misericórdia, e abençoa-nos a todos conjuntamente com a luz da Tua Presença; e que seja agradável a Teus olhos abençoar-nos em todo o tempo e em todos os lugares, as bênçãos da Tua paz. SHALOM."

SIM SHALOM TOVÁ UVERACHÁ, CHAYIM CHÉN VACHÉSSED VERACHAMIM, ALÊNU VEAL COL YISRAEL AMÊCHA.

Inclina-se para a esquerda
OSSE SHALOM

Inclina-se para a direita
BIMROMAV HU IASSE SHALOM

Inclina-se para a frente
ALENU VE AL COL ISRAEL VEIMRÚ AMEN!

Encerram-se as orações com um Tsedaká (doação para os necessitados). Aproveite este momento para dar um sorriso de alegria pela oportunidade da vida e por fazer parte de um grupo que se dedica a praticar o bem.

CURA PELAS ÁGUAS
KODESH MAIM

Preparo de água santificada com letras originais da Parashá de Pinchás

KODESH MAIM

Há milênios os sábios cabalistas afirmam que a água possui os segredos da cura e da longevidade; e que na hidratação espiritual e física das células está a chave para a regeneração e a imortalidade do homem. A água é a manifestação da Luz em seu estado mais denso.

Após o Dilúvio, a estrutura espiritual da água sofreu uma alteração. Mas é possível, através das ferramentas da Cabala, restaurar o padrão original da água. Ensinada pelos cabalistas há milhares de anos, a Kodesh Maim é uma forma de mudarmos o nosso padrão de energia.

O preparo dessa água sagrada envolve diversos estágios. O mais importante consiste em escanear numa porção mágica de cura da Torá, denominada Pinchás. Ela está reproduzida nas páginas seguintes exatamente como aparecem na Torá, por isso devem ser lidas na sequência inversa à nossa; ou seja, da página 94 até a 81. Cada linha deve ser mentalizada sempre da direita para esquerda, exatamente como fazemos com o livro original da Torá.

A Kodesh Maim não serve apenas para pessoas que estejam doentes. É um grande preventivo contra energias densas que possam se acumular no corpo físico, capazes de gerar doenças e o impedimento da plena fluência da energia espiritual em nossas vidas. Mas não é qualquer água que pode ser energizada. O ideal é que seja água mineral, já que esta possui uma propriedade particular: em vez de “descer” ela sobe, vencendo a ação da gravidade e, consequentemente, os padrões do mundo físico.

A Kodesh Maim pode ser dada também a animais e plantas, com a finalidade de restauração energética. Mas lembre-se de que não é um remédio, e sim uma forma de nos ligarmos à consciência da Luz Infinita.

Para preparar sua própria Kodesh Maim você pode seguir o procedimento abaixo:

- **Fazer a oração Ana Becoach**
- **Meditar o Salmo 121**
- **Fazer algumas preces de agradecimento e pedido de cura ao Eterno**
- **Mentalizar as letras da porção de Pinchas**
- **Vocalizar 10 vezes o mantra do anjo da saúde: MERRASH**
- **Uma pequena meditação em silêncio**

Após preparada sua água de cura, você pode guardá-la na geladeira, se preferir. Sempre que for tomá-la procure fazer uma pequena prece antes.

אֶחָד מִלְּבַד עֹלַת הַתָּמִיד מִנְחָתָהּ וְנִסְכָּהּ: ס מפטיר
לה בַּיּוֹם הַשְּׁמִינִי עֲצֶרֶת תִּהְיֶה לָכֶם כָּל־מְלֶאכֶת
עֲבֹדָה לֹא תַעֲשׂוּ: לו וְהִקְרַבְתֶּם עֹלָה אִשֵּׁה רֵיחַ
נִיחֹחַ לַיהוָה פַּר אֶחָד אַיִל אֶחָד כְּבָשִׂים בְּנֵי־שָׁנָה
שִׁבְעָה תְּמִימִם: לז מִנְחָתָם וְנִסְכֵּיהֶם לַפָּר לָאַיִל
וְלַכְּבָשִׂים בְּמִסְפָּרָם כַּמִּשְׁפָּט: לח וּשְׂעִיר חַטָּאת
אֶחָד מִלְּבַד עֹלַת הַתָּמִיד וּמִנְחָתָהּ וְנִסְכָּהּ: לט אֵלֶּה
תַּעֲשׂוּ לַיהוָה בְּמוֹעֲדֵיכֶם לְבַד מִנִּדְרֵיכֶם וְנִדְבֹתֵיכֶם
לְעֹלֹתֵיכֶם וּלְמִנְחֹתֵיכֶם וּלְנִסְכֵּיכֶם וּלְשַׁלְמֵיכֶם:
ל א וַיֹּאמֶר מֹשֶׁה אֶל־בְּנֵי יִשְׂרָאֵל כְּכֹל אֲשֶׁר־צִוָּה
יְהוָה אֶת־מֹשֶׁה: פ פ פ

הַשֵּׁנִ֗י פָּרִ֧ים בְּנֵי־בָקָ֛ר שְׁנֵ֥ים עָשָׂ֖ר אֵילִ֣ם שְׁנָ֑יִם
כְּבָשִׂ֧ים בְּנֵי־שָׁנָ֛ה אַרְבָּעָ֥ה עָשָׂ֖ר תְּמִימִֽם׃ יח וּמִנְחָתָ֣ם
וְנִסְכֵּיהֶ֡ם לַ֠פָּרִים לָאֵילִ֧ם וְלַכְּבָשִׂ֛ים בְּמִסְפָּרָ֖ם
כַּמִּשְׁפָּֽט׃ יט וּשְׂעִיר־עִזִּ֥ים אֶחָ֖ד חַטָּ֑את מִלְּבַד֙ עֹלַ֣ת
הַתָּמִ֔יד וּמִנְחָתָ֖הּ וְנִסְכֵּיהֶֽם׃ ס כ וּבַיּ֧וֹם הַשְּׁלִישִׁ֛י
פָּרִ֥ים עַשְׁתֵּי־עָשָׂ֖ר אֵילִ֣ם שְׁנָ֑יִם כְּבָשִׂ֧ים בְּנֵי־שָׁנָ֛ה
אַרְבָּעָ֥ה עָשָׂ֖ר תְּמִימִֽם׃ כא וּמִנְחָתָ֣ם וְנִסְכֵּיהֶ֡ם לַ֠פָּרִים
לָאֵילִ֧ם וְלַכְּבָשִׂ֛ים בְּמִסְפָּרָ֖ם כַּמִּשְׁפָּֽט׃ כב וּשְׂעִ֥יר
חַטָּ֖את אֶחָ֑ד מִלְּבַד֙ עֹלַ֣ת הַתָּמִ֔יד וּמִנְחָתָ֖הּ
וְנִסְכָּֽהּ׃ ס כג וּבַיּ֧וֹם הָרְבִיעִ֛י פָּרִ֥ים עֲשָׂרָ֖ה אֵילִ֣ם
שְׁנָ֑יִם כְּבָשִׂ֧ים בְּנֵי־שָׁנָ֛ה אַרְבָּעָ֥ה עָשָׂ֖ר תְּמִימִֽם׃
כד מִנְחָתָ֣ם וְנִסְכֵּיהֶ֡ם לַ֠פָּרִים לָאֵילִ֧ם וְלַכְּבָשִׂ֛ים
בְּמִסְפָּרָ֖ם כַּמִּשְׁפָּֽט׃ כה וּשְׂעִיר־עִזִּ֥ים אֶחָ֖ד חַטָּ֑את
מִלְּבַד֙ עֹלַ֣ת הַתָּמִ֔יד מִנְחָתָ֖הּ וְנִסְכָּֽהּ׃ ס כו וּבַיּ֧וֹם
הַחֲמִישִׁ֛י פָּרִ֥ים תִּשְׁעָ֖ה אֵילִ֣ם שְׁנָ֑יִם כְּבָשִׂ֧ים בְּנֵי־
שָׁנָ֛ה אַרְבָּעָ֥ה עָשָׂ֖ר תְּמִימִֽם׃ כז וּמִנְחָתָ֣ם וְנִסְכֵּיהֶ֡ם
לַ֠פָּרִים לָאֵילִ֧ם וְלַכְּבָשִׂ֛ים בְּמִסְפָּרָ֖ם כַּמִּשְׁפָּֽט׃
כח וּשְׂעִ֥יר חַטָּ֖את אֶחָ֑ד מִלְּבַד֙ עֹלַ֣ת הַתָּמִ֔יד וּמִנְחָתָ֖הּ
וְנִסְכָּֽהּ׃ ס כט וּבַיּ֧וֹם הַשִּׁשִּׁ֛י פָּרִ֥ים שְׁמֹנָ֖ה אֵילִ֣ם שְׁנָ֑יִם
כְּבָשִׂ֧ים בְּנֵי־שָׁנָ֛ה אַרְבָּעָ֥ה עָשָׂ֖ר תְּמִימִֽם׃ ל וּמִנְחָתָ֣ם
וְנִסְכֵּיהֶ֡ם לַ֠פָּרִים לָאֵילִ֧ם וְלַכְּבָשִׂ֛ים בְּמִסְפָּרָ֖ם
כַּמִּשְׁפָּֽט׃ לא וּשְׂעִ֥יר חַטָּ֖את אֶחָ֑ד מִלְּבַד֙ עֹלַ֣ת
הַתָּמִ֔יד מִנְחָתָ֖הּ וּנְסָכֶֽיהָ׃ ס לב וּבַיּ֧וֹם הַשְּׁבִיעִ֛י פָּרִ֥ים
שִׁבְעָ֖ה אֵילִ֣ם שְׁנָ֑יִם כְּבָשִׂ֧ים בְּנֵי־שָׁנָ֛ה אַרְבָּעָ֥ה עָשָׂ֖ר
תְּמִימִֽם׃ לג וּמִנְחָתָ֣ם וְנִסְכֵּהֶ֡ם לַ֠פָּרִים לָאֵילִ֧ם
וְלַכְּבָשִׂ֛ים בְּמִסְפָּרָ֖ם כְּמִשְׁפָּטָֽם׃ לד וּשְׂעִ֥יר חַטָּ֖את

שְׁלֹשָׁ֤ה עֶשְׂרֹנִים֙ לַפָּ֔ר שְׁנֵ֥י עֶשְׂרֹנִ֖ים לָאָֽיִל׃ ד וְעִשָּׂר֣וֹן
אֶחָ֔ד לַכֶּ֖בֶשׂ הָאֶחָ֑ד לְשִׁבְעַ֖ת הַכְּבָשִֽׂים׃ ה וּשְׂעִיר־
עִזִּ֥ים אֶחָ֖ד חַטָּ֑את לְכַפֵּ֖ר עֲלֵיכֶֽם׃ ו מִלְּבַד֩ עֹלַ֨ת
הַחֹ֜דֶשׁ וּמִנְחָתָ֗הּ וְעֹלַ֤ת הַתָּמִיד֙ וּמִנְחָתָ֔הּ וְנִסְכֵּיהֶ֖ם
כְּמִשְׁפָּטָ֑ם לְרֵ֣יחַ נִיחֹ֔חַ אִשֶּׁ֖ה לַיהוָֽה׃ ס ז וּבֶעָשׂ֡וֹר
לַחֹ֨דֶשׁ הַשְּׁבִיעִ֜י הַזֶּ֗ה מִֽקְרָא־קֹ֙דֶשׁ֙ יִהְיֶ֣ה לָכֶ֔ם
וְעִנִּיתֶ֖ם אֶת־נַפְשֹׁתֵיכֶ֑ם כָּל־מְלָאכָ֖ה לֹ֥א תַעֲשֽׂוּ׃
ח וְהִקְרַבְתֶּ֨ם עֹלָ֤ה לַֽיהוָה֙ רֵ֣יחַ נִיחֹ֔חַ פַּ֧ר בֶּן־בָּקָ֛ר
אֶחָ֖ד אַ֣יִל אֶחָ֑ד כְּבָשִׂ֤ים בְּנֵֽי־שָׁנָה֙ שִׁבְעָ֔ה תְּמִימִ֖ם
יִהְי֥וּ לָכֶֽם׃ ט וּמִ֨נְחָתָ֔ם סֹ֖לֶת בְּלוּלָ֣ה בַשָּׁ֑מֶן שְׁלֹשָׁ֤ה
עֶשְׂרֹנִים֙ לַפָּ֔ר שְׁנֵי֙ עֶשְׂרֹנִ֔ים לָאַ֖יִל הָאֶחָֽד׃ י עִשָּׂרוֹן֙
עִשָּׂר֔וֹן לַכֶּ֖בֶשׂ הָאֶחָ֑ד לְשִׁבְעַ֖ת הַכְּבָשִֽׂים׃ יא שְׂעִיר־
עִזִּ֥ים אֶחָ֖ד חַטָּ֑את מִלְּבַ֞ד חַטַּ֣את הַכִּפֻּרִ֗ים וְעֹלַ֣ת
הַתָּמִ֔יד וּמִנְחָתָ֖הּ וְנִסְכֵּיהֶֽם׃ ס שביעי יב וּבַחֲמִשָּׁה֩ עָשָׂ֨ר
י֜וֹם לַחֹ֣דֶשׁ הַשְּׁבִיעִ֗י מִֽקְרָא־קֹ֙דֶשׁ֙ יִהְיֶ֣ה לָכֶ֔ם כָּל־
מְלֶ֥אכֶת עֲבֹדָ֖ה לֹ֣א תַעֲשׂ֑וּ וְחַגֹּתֶ֥ם חַ֛ג לַֽיהוָ֖ה שִׁבְעַ֥ת
יָמִֽים׃ יג וְהִקְרַבְתֶּ֨ם עֹלָ֜ה אִשֵּׁ֨ה רֵ֤יחַ נִיחֹ֙חַ֙ לַֽיהוָ֔ה
פָּרִ֧ים בְּנֵי־בָקָ֛ר שְׁלֹשָׁ֥ה עָשָׂ֖ר אֵילִ֣ם שְׁנָ֑יִם כְּבָשִׂ֧ים
בְּנֵֽי־שָׁנָ֛ה אַרְבָּעָ֥ה עָשָׂ֖ר תְּמִימִ֥ם יִהְיֽוּ׃ יד וּמִ֨נְחָתָ֔ם
סֹ֖לֶת בְּלוּלָ֣ה בַשָּׁ֑מֶן שְׁלֹשָׁ֨ה עֶשְׂרֹנִ֜ים לַפָּ֣ר הָאֶחָ֗ד
לִשְׁלֹשָׁה֙ עָשָׂ֣ר פָּרִ֔ים שְׁנֵ֤י עֶשְׂרֹנִים֙ לָאַ֣יִל הָאֶחָ֔ד
לִשְׁנֵ֖י הָאֵילִֽם׃ טו וְעִשָּׂרוֹן֙ עִשָּׂר֔וֹן לַכֶּ֖בֶשׂ הָאֶחָ֑ד
לְאַרְבָּעָ֥ה עָשָׂ֖ר כְּבָשִֽׂים׃ טז וּשְׂעִיר־עִזִּ֥ים אֶחָ֖ד חַטָּ֑את
מִלְּבַד֙ עֹלַ֣ת הַתָּמִ֔יד מִנְחָתָ֖הּ וְנִסְכָּֽהּ׃ ס יז וּבַיּ֣וֹם

שְׁנַיִם וְאַיִל אֶחָד וְשִׁבְעָה כְבָשִׂים בְּנֵי שָׁנָה תְּמִימִם
יִהְיוּ לָכֶם׃ כ וּמִנְחָתָם סֹלֶת בְּלוּלָה בַשָּׁמֶן שְׁלֹשָׁה
עֶשְׂרֹנִים לַפָּר וּשְׁנֵי עֶשְׂרֹנִים לָאַיִל תַּעֲשׂוּ׃ כא עִשָּׂרוֹן
עִשָּׂרוֹן תַּעֲשֶׂה לַכֶּבֶשׂ הָאֶחָד לְשִׁבְעַת הַכְּבָשִׂים׃
כב וּשְׂעִיר חַטָּאת אֶחָד לְכַפֵּר עֲלֵיכֶם׃ כג מִלְּבַד עֹלַת
הַבֹּקֶר אֲשֶׁר לְעֹלַת הַתָּמִיד תַּעֲשׂוּ אֶת־אֵלֶּה׃
כד כָּאֵלֶּה תַּעֲשׂוּ לַיּוֹם שִׁבְעַת יָמִים לֶחֶם אִשֵּׁה
רֵיחַ־נִיחֹחַ לַיהוָה עַל־עוֹלַת הַתָּמִיד יֵעָשֶׂה וְנִסְכּוֹ׃
כה וּבַיּוֹם הַשְּׁבִיעִי מִקְרָא־קֹדֶשׁ יִהְיֶה לָכֶם כָּל־
מְלֶאכֶת עֲבֹדָה לֹא תַעֲשׂוּ׃ ס כו וּבְיוֹם הַבִּכּוּרִים
בְּהַקְרִיבְכֶם מִנְחָה חֲדָשָׁה לַיהוָה בְּשָׁבֻעֹתֵיכֶם
מִקְרָא־קֹדֶשׁ יִהְיֶה לָכֶם כָּל־מְלֶאכֶת עֲבֹדָה לֹא
תַעֲשׂוּ׃ כז וְהִקְרַבְתֶּם עוֹלָה לְרֵיחַ נִיחֹחַ לַיהוָה פָּרִים
בְּנֵי־בָקָר שְׁנַיִם אַיִל אֶחָד שִׁבְעָה כְבָשִׂים בְּנֵי שָׁנָה׃
כח וּמִנְחָתָם סֹלֶת בְּלוּלָה בַשָּׁמֶן שְׁלֹשָׁה עֶשְׂרֹנִים
לַפָּר הָאֶחָד שְׁנֵי עֶשְׂרֹנִים לָאַיִל הָאֶחָד׃ כט עִשָּׂרוֹן
עִשָּׂרוֹן לַכֶּבֶשׂ הָאֶחָד לְשִׁבְעַת הַכְּבָשִׂים׃ ל שְׂעִיר
עִזִּים אֶחָד לְכַפֵּר עֲלֵיכֶם׃ לא מִלְּבַד עֹלַת הַתָּמִיד
וּמִנְחָתוֹ תַּעֲשׂוּ תְּמִימִם יִהְיוּ־לָכֶם וְנִסְכֵּיהֶם׃ פ
כט א וּבַחֹדֶשׁ הַשְּׁבִיעִי בְּאֶחָד לַחֹדֶשׁ מִקְרָא־קֹדֶשׁ
יִהְיֶה לָכֶם כָּל־מְלֶאכֶת עֲבֹדָה לֹא תַעֲשׂוּ יוֹם
תְּרוּעָה יִהְיֶה לָכֶם׃ ב וַעֲשִׂיתֶם עֹלָה לְרֵיחַ נִיחֹחַ
לַיהוָה פַּר בֶּן־בָּקָר אֶחָד אַיִל אֶחָד כְּבָשִׂים בְּנֵי־
שָׁנָה שִׁבְעָה תְּמִימִם׃ ג וּמִנְחָתָם סֹלֶת בְּלוּלָה בַשָּׁמֶן

לְרֵ֥יחַ נִיחֹ֖חַ אִשֶּׁ֥ה לַיהוָֽה׃ ז וְנִסְכּוֹ֙ רְבִיעִ֣ת הַהִ֔ין
לַכֶּ֖בֶשׂ הָאֶחָ֑ד בַּקֹּ֗דֶשׁ הַסֵּ֛ךְ נֶ֥סֶךְ שֵׁכָ֖ר לַיהוָֽה׃ ח וְאֵת֙
הַכֶּ֣בֶשׂ הַשֵּׁנִ֔י תַּעֲשֶׂ֖ה בֵּ֣ין הָעַרְבָּ֑יִם כְּמִנְחַ֨ת הַבֹּ֤קֶר
וּכְנִסְכּוֹ֙ תַּעֲשֶׂ֔ה אִשֵּׁ֛ה רֵ֥יחַ נִיחֹ֖חַ לַיהוָֽה׃ פ ט וּבְיוֹם֙
הַשַּׁבָּ֔ת שְׁנֵֽי־כְבָשִׂ֥ים בְּנֵֽי־שָׁנָ֖ה תְּמִימִ֑ם וּשְׁנֵ֣י
עֶשְׂרֹנִ֗ים סֹ֛לֶת מִנְחָ֛ה בְּלוּלָ֥ה בַשֶּׁ֖מֶן וְנִסְכּֽוֹ׃ י עֹלַ֥ת
שַׁבַּ֖ת בְּשַׁבַּתּ֑וֹ עַל־עֹלַ֥ת הַתָּמִ֖יד וְנִסְכָּֽהּ׃ פ
יא וּבְרָאשֵׁי֙ חָדְשֵׁיכֶ֔ם תַּקְרִ֥יבוּ עֹלָ֖ה לַיהוָ֑ה פָּרִ֨ים
בְּנֵֽי־בָקָ֤ר שְׁנַ֙יִם֙ וְאַ֣יִל אֶחָ֔ד כְּבָשִׂ֧ים בְּנֵי־שָׁנָ֛ה
שִׁבְעָ֖ה תְּמִימִֽם׃ יב וּשְׁלֹשָׁ֣ה עֶשְׂרֹנִ֗ים סֹ֤לֶת מִנְחָה֙
בְּלוּלָ֣ה בַשֶּׁ֔מֶן לַפָּ֖ר הָאֶחָ֑ד וּשְׁנֵ֣י עֶשְׂרֹנִ֗ים סֹ֤לֶת
מִנְחָה֙ בְּלוּלָ֣ה בַשֶּׁ֔מֶן לָאַ֖יִל הָאֶחָֽד׃ יג וְעִשָּׂרֹ֣ן עִשָּׂר֗וֹן
סֹ֤לֶת מִנְחָה֙ בְּלוּלָ֣ה בַשֶּׁ֔מֶן לַכֶּ֖בֶשׂ הָאֶחָ֑ד עֹלָה֙ רֵ֣יחַ
נִיחֹ֔חַ אִשֶּׁ֖ה לַיהוָֽה׃ יד וְנִסְכֵּיהֶ֗ם חֲצִ֣י הַהִין֩ יִהְיֶ֨ה לַפָּ֜ר
וּשְׁלִישִׁ֧ת הַהִ֣ין לָאַ֗יִל וּרְבִיעִ֥ת הַהִ֛ין לַכֶּ֖בֶשׂ יָ֑יִן זֹ֣את
עֹלַ֥ת חֹ֙דֶשׁ֙ בְּחָדְשׁ֔וֹ לְחָדְשֵׁ֖י הַשָּׁנָֽה׃ טו וּשְׂעִ֨יר עִזִּ֥ים
אֶחָ֛ד לְחַטָּ֖את לַיהוָ֑ה עַל־עֹלַ֨ת הַתָּמִ֥יד יֵעָשֶׂ֖ה
וְנִסְכּֽוֹ׃ ס שישי טז וּבַחֹ֣דֶשׁ הָֽרִאשׁ֗וֹן בְּאַרְבָּעָ֥ה עָשָׂ֛ר י֖וֹם
לַחֹ֑דֶשׁ פֶּ֖סַח לַיהוָֽה׃ יז וּבַחֲמִשָּׁ֨ה עָשָׂ֥ר י֛וֹם לַחֹ֥דֶשׁ
הַזֶּ֖ה חָ֑ג שִׁבְעַ֣ת יָמִ֔ים מַצּ֖וֹת יֵאָכֵֽל׃ יח בַּיּ֥וֹם הָרִאשׁ֖וֹן
מִקְרָא־קֹ֑דֶשׁ כָּל־מְלֶ֥אכֶת עֲבֹדָ֖ה לֹ֥א תַעֲשֽׂוּ׃
יט וְהִקְרַבְתֶּ֨ם אִשֶּׁ֤ה עֹלָה֙ לַֽיהוָ֔ה פָּרִ֧ים בְּנֵי־בָקָ֛ר

הָעֵדָ֑ה וְצִוִּיתָ֥ה אֹת֖וֹ לְעֵינֵיהֶֽם׃ כ וְנָתַתָּ֥ה מֵהוֹדְךָ֖ עָלָ֑יו
לְמַ֣עַן יִשְׁמְע֔וּ כָּל־עֲדַ֖ת בְּנֵ֥י יִשְׂרָאֵֽל׃ כא וְלִפְנֵ֨י אֶלְעָזָ֤ר
הַכֹּהֵן֙ יַעֲמֹ֔ד וְשָׁ֥אַל ל֛וֹ בְּמִשְׁפַּ֥ט הָאוּרִ֖ים לִפְנֵ֣י יְהוָ֑ה
עַל־פִּ֨יו יֵצְא֜וּ וְעַל־פִּ֣יו יָבֹ֗אוּ ה֛וּא וְכָל־בְּנֵֽי־יִשְׂרָאֵ֥ל
אִתּ֖וֹ וְכָל־הָעֵדָֽה׃ כב וַיַּ֣עַשׂ מֹשֶׁ֔ה כַּאֲשֶׁ֛ר צִוָּ֥ה יְהוָ֖ה
אֹת֑וֹ וַיִּקַּ֣ח אֶת־יְהוֹשֻׁ֗עַ וַיַּֽעֲמִדֵ֙הוּ֙ לִפְנֵי֙ אֶלְעָזָ֣ר הַכֹּהֵ֔ן
וְלִפְנֵ֖י כָּל־הָעֵדָֽה׃ כג וַיִּסְמֹ֥ךְ אֶת־יָדָ֛יו עָלָ֖יו וַיְצַוֵּ֑הוּ
כַּאֲשֶׁ֛ר דִּבֶּ֥ר יְהוָ֖ה בְּיַד־מֹשֶֽׁה׃ פ חמישי כח א וַיְדַבֵּ֥ר
יְהוָ֖ה אֶל־מֹשֶׁ֥ה לֵּאמֹֽר׃ ב צַ֚ו אֶת־בְּנֵ֣י יִשְׂרָאֵ֔ל וְאָמַרְתָּ֖
אֲלֵהֶ֑ם אֶת־קָרְבָּנִ֨י לַחְמִ֜י לְאִשַּׁ֗י רֵ֚יחַ נִיחֹחִ֔י תִּשְׁמְר֕וּ
לְהַקְרִ֥יב לִ֖י בְּמוֹעֲדֽוֹ׃ ג וְאָמַרְתָּ֣ לָהֶ֔ם זֶ֚ה הָֽאִשֶּׁ֔ה אֲשֶׁ֥ר
תַּקְרִ֖יבוּ לַֽיהוָ֑ה כְּבָשִׂ֨ים בְּנֵֽי־שָׁנָ֧ה תְמִימִ֛ם שְׁנַ֥יִם
לַיּ֖וֹם עֹלָ֥ה תָמִֽיד׃ ד אֶת־הַכֶּ֥בֶשׂ אֶחָ֖ד תַּעֲשֶׂ֣ה בַבֹּ֑קֶר
וְאֵת֙ הַכֶּ֣בֶשׂ הַשֵּׁנִ֔י תַּעֲשֶׂ֖ה בֵּ֥ין הָעַרְבָּֽיִם׃ ה וַעֲשִׂירִ֧ית
הָאֵיפָ֛ה סֹ֖לֶת לְמִנְחָ֑ה בְּלוּלָ֛ה בְּשֶׁ֥מֶן כָּתִ֖ית
רְבִיעִ֥ת הַהִֽין׃ ו עֹלַ֖ת תָּמִ֑יד הָעֲשֻׂיָה֙ בְּהַ֣ר סִינַ֔י

יא וְאִם־אֵ֣ין אַחִים֮ לְאָבִיו֒ וּנְתַתֶּ֣ם אֶת־נַחֲלָת֗וֹ
לִשְׁאֵר֞וֹ הַקָּרֹ֥ב אֵלָ֛יו מִמִּשְׁפַּחְתּ֖וֹ וְיָרַ֣שׁ אֹתָ֑הּ וְהָֽיְתָ֞ה
לִבְנֵ֤י יִשְׂרָאֵל֙ לְחֻקַּ֣ת מִשְׁפָּ֔ט כַּאֲשֶׁ֛ר צִוָּ֥ה יְהוָ֖ה
אֶת־מֹשֶֽׁה׃ פ יב וַיֹּ֤אמֶר יְהוָה֙ אֶל־מֹשֶׁ֔ה עֲלֵ֖ה אֶל־הַ֣ר
הָעֲבָרִ֣ים הַזֶּ֑ה וּרְאֵה֙ אֶת־הָאָ֔רֶץ אֲשֶׁ֥ר נָתַ֖תִּי לִבְנֵ֥י
יִשְׂרָאֵֽל׃ יג וְרָאִ֣יתָה אֹתָ֔הּ וְנֶאֱסַפְתָּ֥ אֶל־עַמֶּ֖יךָ גַּם־
אָ֑תָּה כַּאֲשֶׁ֥ר נֶאֱסַ֖ף אַהֲרֹ֥ן אָחִֽיךָ׃ יד כַּאֲשֶׁ֨ר מְרִיתֶ֜ם
פִּ֣י בְּמִדְבַּר־צִ֗ן בִּמְרִיבַת֙ הָֽעֵדָ֔ה לְהַקְדִּישֵׁ֥נִי בַמַּ֖יִם
לְעֵינֵיהֶ֑ם הֵ֛ם מֵֽי־מְרִיבַ֥ת קָדֵ֖שׁ מִדְבַּר־צִֽן׃ ס
טו וַיְדַבֵּ֣ר מֹשֶׁ֔ה אֶל־יְהוָ֖ה לֵאמֹֽר׃ טז יִפְקֹ֣ד יְהוָ֔ה אֱלֹהֵ֥י
הָרוּחֹ֖ת לְכָל־בָּשָׂ֑ר אִ֖ישׁ עַל־הָעֵדָֽה׃ יז אֲשֶׁר־יֵצֵ֣א
לִפְנֵיהֶ֗ם וַאֲשֶׁ֤ר יָבֹא֙ לִפְנֵיהֶ֔ם וַאֲשֶׁ֥ר יוֹצִיאֵ֖ם וַאֲשֶׁ֣ר
יְבִיאֵ֑ם וְלֹ֤א תִהְיֶה֙ עֲדַ֣ת יְהוָ֔ה כַּצֹּ֕אן אֲשֶׁ֥ר אֵין־לָהֶ֖ם
רֹעֶֽה׃ יח וַיֹּ֨אמֶר יְהוָ֜ה אֶל־מֹשֶׁ֗ה קַח־לְךָ֙ אֶת־יְהוֹשֻׁ֣עַ
בִּן־נ֔וּן אִ֖ישׁ אֲשֶׁר־ר֣וּחַ בּ֑וֹ וְסָמַכְתָּ֥ אֶת־יָדְךָ֖ עָלָֽיו׃
יט וְהַֽעֲמַדְתָּ֣ אֹת֗וֹ לִפְנֵי֙ אֶלְעָזָ֣ר הַכֹּהֵ֔ן וְלִפְנֵ֖י כָּל־

אָמַר יְהֹוָה לָהֶם מוֹת יָמֻתוּ בַּמִּדְבָּר וְלֹא־נוֹתַר מֵהֶם
אִישׁ כִּי אִם־כָּלֵב בֶּן־יְפֻנֶּה וִיהוֹשֻׁעַ בִּן־נוּן׃ ס
כז א וַתִּקְרַבְנָה בְּנוֹת צְלָפְחָד בֶּן־חֵפֶר בֶּן־גִּלְעָד
בֶּן־מָכִיר בֶּן־מְנַשֶּׁה לְמִשְׁפְּחֹת מְנַשֶּׁה בֶן־יוֹסֵף
וְאֵלֶּה שְׁמוֹת בְּנֹתָיו מַחְלָה נֹעָה וְחָגְלָה וּמִלְכָּה
וְתִרְצָה׃ ב וַתַּעֲמֹדְנָה לִפְנֵי מֹשֶׁה וְלִפְנֵי אֶלְעָזָר הַכֹּהֵן
וְלִפְנֵי הַנְּשִׂיאִם וְכָל־הָעֵדָה פֶּתַח אֹהֶל־מוֹעֵד
לֵאמֹר׃ ג אָבִינוּ מֵת בַּמִּדְבָּר וְהוּא לֹא־הָיָה בְּתוֹךְ
הָעֵדָה הַנּוֹעָדִים עַל־יְהֹוָה בַּעֲדַת־קֹרַח כִּי־בְחֶטְאוֹ
מֵת וּבָנִים לֹא־הָיוּ לוֹ׃ ד לָמָּה יִגָּרַע שֵׁם־אָבִינוּ
מִתּוֹךְ מִשְׁפַּחְתּוֹ כִּי אֵין לוֹ בֵּן תְּנָה־לָּנוּ אֲחֻזָּה בְּתוֹךְ
אֲחֵי אָבִינוּ׃ ה וַיַּקְרֵב מֹשֶׁה אֶת־מִשְׁפָּטָן לִפְנֵי
יְהֹוָה׃ פ רביעי ו וַיֹּאמֶר יְהֹוָה אֶל־מֹשֶׁה לֵּאמֹר׃ ז כֵּן
בְּנוֹת צְלָפְחָד דֹּבְרֹת נָתֹן תִּתֵּן לָהֶם אֲחֻזַּת נַחֲלָה
בְּתוֹךְ אֲחֵי אֲבִיהֶם וְהַעֲבַרְתָּ אֶת־נַחֲלַת אֲבִיהֶן
לָהֶן׃ ח וְאֶל־בְּנֵי יִשְׂרָאֵל תְּדַבֵּר לֵאמֹר אִישׁ כִּי־
יָמוּת וּבֵן אֵין לוֹ וְהַעֲבַרְתֶּם אֶת־נַחֲלָתוֹ לְבִתּוֹ׃
ט וְאִם־אֵין לוֹ בַּת וּנְתַתֶּם אֶת־נַחֲלָתוֹ לְאֶחָיו׃
י וְאִם־אֵין לוֹ אַחִים וּנְתַתֶּם אֶת־נַחֲלָתוֹ לַאֲחֵי אָבִיו׃

נַחֲלָתוֹ֙ וְלַמְעַ֕ט תַּמְעִ֖יט נַחֲלָת֑וֹ אִ֚ישׁ לְפִ֣י פְקֻדָ֔יו יֻתַּ֖ן
נַחֲלָתֽוֹ׃ נה אַךְ־בְּגוֹרָ֕ל יֵחָלֵ֖ק אֶת־הָאָ֑רֶץ לִשְׁמ֥וֹת
מַטּֽוֹת־אֲבֹתָ֖ם יִנְחָֽלוּ׃ נו עַל־פִּי֙ הַגּוֹרָ֔ל תֵּחָלֵ֖ק נַחֲלָת֑וֹ
בֵּ֥ין רַ֖ב לִמְעָֽט׃ ס נז וְאֵ֨לֶּה פְקוּדֵ֣י הַלֵּוִי֮ לְמִשְׁפְּחֹתָם֒
לְגֵרְשׁ֕וֹן מִשְׁפַּ֙חַת֙ הַגֵּ֣רְשֻׁנִּ֔י לִקְהָ֕ת מִשְׁפַּ֖חַת הַקְּהָתִ֑י
לִמְרָרִ֕י מִשְׁפַּ֖חַת הַמְּרָרִֽי׃ נח אֵ֣לֶּה ׀ מִשְׁפְּחֹ֣ת לֵוִ֗י
מִשְׁפַּ֨חַת הַלִּבְנִ֜י מִשְׁפַּ֤חַת הַֽחֶבְרֹנִי֙ מִשְׁפַּ֣חַת הַמַּחְלִ֔י
מִשְׁפַּ֥חַת הַמּוּשִׁ֖י מִשְׁפַּ֣חַת הַקָּרְחִ֑י וּקְהָ֖ת הוֹלִ֥ד אֶת־
עַמְרָֽם׃ נט וְשֵׁ֣ם ׀ אֵ֣שֶׁת עַמְרָ֗ם יוֹכֶ֙בֶד֙ בַּת־לֵוִ֔י אֲשֶׁ֨ר
יָלְדָ֥ה אֹתָ֛הּ לְלֵוִ֖י בְּמִצְרָ֑יִם וַתֵּ֣לֶד לְעַמְרָ֗ם אֶֽת־אַהֲרֹן֙
וְאֶת־מֹשֶׁ֔ה וְאֵ֖ת מִרְיָ֥ם אֲחֹתָֽם׃ ס וַיִּוָּלֵ֣ד לְאַהֲרֹ֔ן אֶת־
נָדָ֖ב וְאֶת־אֲבִיה֑וּא אֶת־אֶלְעָזָ֖ר וְאֶת־אִֽיתָמָֽר׃
סא וַיָּ֥מָת נָדָ֖ב וַאֲבִיה֑וּא בְּהַקְרִיבָ֥ם אֵשׁ־זָרָ֖ה לִפְנֵ֥י
יְהוָֽה׃ סב וַיִּהְי֣וּ פְקֻדֵיהֶ֗ם שְׁלֹשָׁ֤ה וְעֶשְׂרִים֙ אֶ֔לֶף כָּל־
זָכָ֖ר מִבֶּן־חֹ֣דֶשׁ וָמָ֑עְלָה כִּ֣י ׀ לֹ֣א הָתְפָּקְד֗וּ בְּתוֹךְ֙ בְּנֵ֣י
יִשְׂרָאֵ֔ל כִּ֠י לֹא־נִתַּ֤ן לָהֶם֙ נַחֲלָ֔ה בְּת֖וֹךְ בְּנֵ֥י יִשְׂרָאֵֽל׃
סג אֵ֚לֶּה פְּקוּדֵ֣י מֹשֶׁ֔ה וְאֶלְעָזָ֖ר הַכֹּהֵ֑ן אֲשֶׁ֨ר פָּקְד֜וּ
אֶת־בְּנֵ֤י יִשְׂרָאֵל֙ בְּעַֽרְבֹ֣ת מוֹאָ֔ב עַ֖ל יַרְדֵּ֥ן יְרֵחֽוֹ׃
סד וּבְאֵ֙לֶּה֙ לֹא־הָ֣יָה אִ֔ישׁ מִפְּקוּדֵ֣י מֹשֶׁ֔ה וְאַהֲרֹ֖ן הַכֹּהֵ֑ן
אֲשֶׁ֥ר פָּקְד֛וּ אֶת־בְּנֵ֥י יִשְׂרָאֵ֖ל בְּמִדְבַּ֥ר סִינָֽי׃ סה כִּֽי־

אֶלֶף וַחֲמֵשׁ מֵאוֹת אֵלֶּה בְנֵי־יוֹסֵף לְמִשְׁפְּחֹתָם: ס
לח בְּנֵי בִנְיָמִן לְמִשְׁפְּחֹתָם לְבֶלַע מִשְׁפַּחַת הַבַּלְעִי
לְאַשְׁבֵּל מִשְׁפַּחַת הָאַשְׁבֵּלִי לַאֲחִירָם מִשְׁפַּחַת
הָאֲחִירָמִי: לט לִשְׁפוּפָם מִשְׁפַּחַת הַשּׁוּפָמִי לְחוּפָם
מִשְׁפַּחַת הַחוּפָמִי: מ וַיִּהְיוּ בְנֵי־בֶלַע אַרְדְּ וְנַעֲמָן
מִשְׁפַּחַת הָאַרְדִּי לְנַעֲמָן מִשְׁפַּחַת הַנַּעֲמִי: מא אֵלֶּה
בְנֵי־בִנְיָמִן לְמִשְׁפְּחֹתָם וּפְקֻדֵיהֶם חֲמִשָּׁה וְאַרְבָּעִים
אֶלֶף וְשֵׁשׁ מֵאוֹת: ס מב אֵלֶּה בְנֵי־דָן לְמִשְׁפְּחֹתָם
לְשׁוּחָם מִשְׁפַּחַת הַשּׁוּחָמִי אֵלֶּה מִשְׁפְּחֹת דָּן
לְמִשְׁפְּחֹתָם: מג כָּל־מִשְׁפְּחֹת הַשּׁוּחָמִי לִפְקֻדֵיהֶם
אַרְבָּעָה וְשִׁשִּׁים אֶלֶף וְאַרְבַּע מֵאוֹת: ס מד בְּנֵי אָשֵׁר
לְמִשְׁפְּחֹתָם לְיִמְנָה מִשְׁפַּחַת הַיִּמְנָה לְיִשְׁוִי מִשְׁפַּחַת
הַיִּשְׁוִי לִבְרִיעָה מִשְׁפַּחַת הַבְּרִיעִי: מה לִבְנֵי בְרִיעָה
לְחֶבֶר מִשְׁפַּחַת הַחֶבְרִי לְמַלְכִּיאֵל מִשְׁפַּחַת
הַמַּלְכִּיאֵלִי: מו וְשֵׁם בַּת־אָשֵׁר שָׂרַח: מז אֵלֶּה מִשְׁפְּחֹת
בְּנֵי־אָשֵׁר לִפְקֻדֵיהֶם שְׁלֹשָׁה וַחֲמִשִּׁים אֶלֶף וְאַרְבַּע
מֵאוֹת: ס מח בְּנֵי נַפְתָּלִי לְמִשְׁפְּחֹתָם לְיַחְצְאֵל
מִשְׁפַּחַת הַיַּחְצְאֵלִי לְגוּנִי מִשְׁפַּחַת הַגּוּנִי: מט לְיֵצֶר
מִשְׁפַּחַת הַיִּצְרִי לְשִׁלֵּם מִשְׁפַּחַת הַשִּׁלֵּמִי: נ אֵלֶּה
מִשְׁפְּחֹת נַפְתָּלִי לְמִשְׁפְּחֹתָם וּפְקֻדֵיהֶם חֲמִשָּׁה
וְאַרְבָּעִים אֶלֶף וְאַרְבַּע מֵאוֹת: נא אֵלֶּה פְּקוּדֵי בְּנֵי
יִשְׂרָאֵל שֵׁשׁ־מֵאוֹת אֶלֶף וָאָלֶף שְׁבַע מֵאוֹת וּשְׁלֹשִׁים:
פ שלישי נב וַיְדַבֵּר יְהוָה אֶל־מֹשֶׁה לֵּאמֹר: נג לָאֵלֶּה
תֵּחָלֵק הָאָרֶץ בְּנַחֲלָה בְּמִסְפַּר שֵׁמוֹת: נד לָרַב תַּרְבֶּה

וַחֲמֵשׁ מֵאוֹת׃ ס כג בְּנֵי יִשָּׂשכָר לְמִשְׁפְּחֹתָם תּוֹלָע
מִשְׁפַּחַת הַתּוֹלָעִי לְפֻוָּה מִשְׁפַּחַת הַפּוּנִי׃ כד לְיָשׁוּב
מִשְׁפַּחַת הַיָּשֻׁבִי לְשִׁמְרֹן מִשְׁפַּחַת הַשִּׁמְרֹנִי׃ כה אֵלֶּה
מִשְׁפְּחֹת יִשָּׂשכָר לִפְקֻדֵיהֶם אַרְבָּעָה וְשִׁשִּׁים אֶלֶף
וּשְׁלֹשׁ מֵאוֹת׃ ס כו בְּנֵי זְבוּלֻן לְמִשְׁפְּחֹתָם לְסֶרֶד
מִשְׁפַּחַת הַסַּרְדִּי לְאֵלוֹן מִשְׁפַּחַת הָאֵלֹנִי לְיַחְלְאֵל
מִשְׁפַּחַת הַיַּחְלְאֵלִי׃ כז אֵלֶּה מִשְׁפְּחֹת הַזְּבוּלֹנִי
לִפְקֻדֵיהֶם שִׁשִּׁים אֶלֶף וַחֲמֵשׁ מֵאוֹת׃ ס כח בְּנֵי יוֹסֵף
לְמִשְׁפְּחֹתָם מְנַשֶּׁה וְאֶפְרָיִם׃ כט בְּנֵי מְנַשֶּׁה לְמָכִיר
מִשְׁפַּחַת הַמָּכִירִי וּמָכִיר הוֹלִיד אֶת־גִּלְעָד לְגִלְעָד
מִשְׁפַּחַת הַגִּלְעָדִי׃ ל אֵלֶּה בְּנֵי גִלְעָד אִיעֶזֶר מִשְׁפַּחַת
הָאִיעֶזְרִי לְחֵלֶק מִשְׁפַּחַת הַחֶלְקִי׃ לא וְאַשְׂרִיאֵל
מִשְׁפַּחַת הָאַשְׂרִאֵלִי וְשֶׁכֶם מִשְׁפַּחַת הַשִּׁכְמִי׃
לב וּשְׁמִידָע מִשְׁפַּחַת הַשְּׁמִידָעִי וְחֵפֶר מִשְׁפַּחַת
הַחֶפְרִי׃ לג וּצְלָפְחָד בֶּן־חֵפֶר לֹא־הָיוּ לוֹ בָּנִים כִּי
אִם־בָּנוֹת וְשֵׁם בְּנוֹת צְלָפְחָד מַחְלָה וְנֹעָה חָגְלָה
מִלְכָּה וְתִרְצָה׃ לד אֵלֶּה מִשְׁפְּחֹת מְנַשֶּׁה וּפְקֻדֵיהֶם
שְׁנַיִם וַחֲמִשִּׁים אֶלֶף וּשְׁבַע מֵאוֹת׃ ס לה אֵלֶּה בְנֵי־
אֶפְרַיִם לְמִשְׁפְּחֹתָם לְשׁוּתֶלַח מִשְׁפַּחַת הַשֻּׁתַלְחִי
לְבֶכֶר מִשְׁפַּחַת הַבַּכְרִי לְתַחַן מִשְׁפַּחַת הַתַּחֲנִי׃
לו וְאֵלֶּה בְּנֵי שׁוּתָלַח לְעֵרָן מִשְׁפַּחַת הָעֵרָנִי׃ לז אֵלֶּה
מִשְׁפְּחֹת בְּנֵי־אֶפְרַיִם לִפְקֻדֵיהֶם שְׁנַיִם וּשְׁלֹשִׁים

אֱלִיאָ֑ב נְמוּאֵ֤ל וְדָתָן֙ וַאֲבִירָ֔ם הֽוּא־דָתָ֨ן וַאֲבִירָ֜ם
קרואי (קְרִיאֵ֣י קרי) הָעֵדָ֗ה אֲשֶׁ֨ר הִצּ֜וּ עַל־מֹשֶׁ֤ה
וְעַֽל־אַהֲרֹן֙ בַּעֲדַת־קֹ֔רַח בְּהַצֹּתָ֖ם עַל־יְהוָֽה׃ י וַתִּפְתַּ֨ח
הָאָ֜רֶץ אֶת־פִּ֗יהָ וַתִּבְלַ֥ע אֹתָ֛ם וְאֶת־קֹ֖רַח בְּמ֣וֹת
הָעֵדָ֑ה בַּאֲכֹ֣ל הָאֵ֗שׁ אֵ֣ת חֲמִשִּׁ֤ים וּמָאתַ֙יִם֙ אִ֔ישׁ וַיִּהְי֖וּ
לְנֵֽס׃ יא וּבְנֵי־קֹ֖רַח לֹא־מֵֽתוּ׃ ס יב בְּנֵ֣י שִׁמְעוֹן֮
לְמִשְׁפְּחֹתָם֒ לִנְמוּאֵ֗ל מִשְׁפַּ֙חַת֙ הַנְּמ֣וּאֵלִ֔י לְיָמִ֕ין
מִשְׁפַּ֖חַת הַיָּמִינִ֑י לְיָכִ֕ין מִשְׁפַּ֖חַת הַיָּכִינִֽי׃ יג לְזֶ֕רַח
מִשְׁפַּ֖חַת הַזַּרְחִ֑י לְשָׁא֕וּל מִשְׁפַּ֖חַת הַשָּׁאוּלִֽי׃ יד אֵ֖לֶּה
מִשְׁפְּחֹ֣ת הַשִּׁמְעֹנִ֑י שְׁנַ֧יִם וְעֶשְׂרִ֛ים אֶ֖לֶף וּמָאתָֽיִם׃ ס
טו בְּנֵ֣י גָד֮ לְמִשְׁפְּחֹתָם֒ לִצְפ֗וֹן מִשְׁפַּ֙חַת֙ הַצְּפוֹנִ֔י לְחַגִּ֕י
מִשְׁפַּ֖חַת הַחַגִּ֑י לְשׁוּנִ֕י מִשְׁפַּ֖חַת הַשּׁוּנִֽי׃ טז לְאָזְנִ֕י
מִשְׁפַּ֖חַת הָאָזְנִ֑י לְעֵרִ֕י מִשְׁפַּ֖חַת הָעֵרִֽי׃ יז לַאֲר֕וֹד
מִשְׁפַּ֖חַת הָאֲרוֹדִ֑י לְאַ֨רְאֵלִ֔י מִשְׁפַּ֖חַת הָאַרְאֵלִֽי׃
יח אֵ֛לֶּה מִשְׁפְּחֹ֥ת בְּנֵי־גָ֖ד לִפְקֻדֵיהֶ֑ם אַרְבָּעִ֥ים אֶ֖לֶף
וַחֲמֵ֥שׁ מֵאֽוֹת׃ ס יט בְּנֵ֥י יְהוּדָ֖ה עֵ֣ר וְאוֹנָ֑ן וַיָּ֥מָת עֵ֛ר
וְאוֹנָ֖ן בְּאֶ֥רֶץ כְּנָֽעַן׃ כ וַיִּהְי֣וּ בְנֵֽי־יְהוּדָה֮ לְמִשְׁפְּחֹתָם֒
לְשֵׁלָ֗ה מִשְׁפַּ֙חַת֙ הַשֵּׁ֣לָנִ֔י לְפֶ֕רֶץ מִשְׁפַּ֖חַת הַפַּרְצִ֑י
לְזֶ֕רַח מִשְׁפַּ֖חַת הַזַּרְחִֽי׃ כא וַיִּהְי֣וּ בְנֵי־פֶ֔רֶץ לְחֶצְרֹ֕ן
מִשְׁפַּ֖חַת הַֽחֶצְרֹנִ֑י לְחָמ֕וּל מִשְׁפַּ֖חַת הֶחָמוּלִֽי׃ כב אֵ֛לֶּה
מִשְׁפְּחֹ֥ת יְהוּדָ֖ה לִפְקֻדֵיהֶ֑ם שִׁשָּׁ֧ה וְשִׁבְעִ֛ים אֶ֖לֶף

אֶת־הַמִּדְיָנִית זִמְרִי בֶּן־סָלוּא נְשִׂיא בֵית־אָב
לַשִּׁמְעֹנִי׃ טו וְשֵׁם הָאִשָּׁה הַמֻּכָּה הַמִּדְיָנִית כָּזְבִּי
בַת־צוּר רֹאשׁ אֻמּוֹת בֵּית־אָב בְּמִדְיָן הוּא׃ פ
טז וַיְדַבֵּר יְהוָה אֶל־מֹשֶׁה לֵּאמֹר׃ יז צָרוֹר אֶת־
הַמִּדְיָנִים וְהִכִּיתֶם אוֹתָם׃ יח כִּי־צֹרְרִים הֵם לָכֶם
בְּנִכְלֵיהֶם אֲשֶׁר־נִכְּלוּ לָכֶם עַל־דְּבַר פְּעוֹר וְעַל־
דְּבַר כָּזְבִּי בַת־נְשִׂיא מִדְיָן אֲחֹתָם הַמֻּכָּה בְיוֹם־
הַמַּגֵּפָה עַל־דְּבַר פְּעוֹר׃ כו א וַיְהִי אַחֲרֵי הַמַּגֵּפָה פסקא
באמצע פסוק פ וַיֹּאמֶר יְהוָה אֶל־מֹשֶׁה וְאֶל אֶלְעָזָר
בֶּן־אַהֲרֹן הַכֹּהֵן לֵאמֹר׃ ב שְׂאוּ אֶת־רֹאשׁ ׀ כָּל־עֲדַת
בְּנֵי־יִשְׂרָאֵל מִבֶּן עֶשְׂרִים שָׁנָה וָמַעְלָה לְבֵית אֲבֹתָם
כָּל־יֹצֵא צָבָא בְּיִשְׂרָאֵל׃ ג וַיְדַבֵּר מֹשֶׁה וְאֶלְעָזָר
הַכֹּהֵן אֹתָם בְּעַרְבֹת מוֹאָב עַל־יַרְדֵּן יְרֵחוֹ לֵאמֹר׃
ד מִבֶּן עֶשְׂרִים שָׁנָה וָמָעְלָה כַּאֲשֶׁר צִוָּה יְהוָה אֶת־
מֹשֶׁה וּבְנֵי יִשְׂרָאֵל הַיֹּצְאִים מֵאֶרֶץ מִצְרָיִם׃ שני
ה רְאוּבֵן בְּכוֹר יִשְׂרָאֵל בְּנֵי רְאוּבֵן חֲנוֹךְ מִשְׁפַּחַת
הַחֲנֹכִי לְפַלּוּא מִשְׁפַּחַת הַפַּלֻּאִי׃ ו לְחֶצְרֹן מִשְׁפַּחַת
הַחֶצְרוֹנִי לְכַרְמִי מִשְׁפַּחַת הַכַּרְמִי׃ ז אֵלֶּה מִשְׁפְּחֹת
הָראוּבֵנִי וַיִּהְיוּ פְקֻדֵיהֶם שְׁלֹשָׁה וְאַרְבָּעִים אֶלֶף
וּשְׁבַע מֵאוֹת וּשְׁלֹשִׁים׃ ח וּבְנֵי פַלּוּא אֱלִיאָב׃ ט וּבְנֵי

במדבר כה פִּנְחָס

NÚMEROS
25 PINCHÁS

41. Porção Semanal Pinchás

במדבר כה פינחס

י וַיְדַבֵּר יְהוָה אֶל־מֹשֶׁה לֵּאמֹר׃ יא פִּינְחָס בֶּן־אֶלְעָזָר בֶּן־אַהֲרֹן הַכֹּהֵן הֵשִׁיב אֶת־חֲמָתִי מֵעַל בְּנֵי־יִשְׂרָאֵל בְּקַנְאוֹ אֶת־קִנְאָתִי בְּתוֹכָם וְלֹא־כִלִּיתִי אֶת־בְּנֵי־יִשְׂרָאֵל בְּקִנְאָתִי׃ יב לָכֵן אֱמֹר הִנְנִי נֹתֵן לוֹ אֶת־בְּרִיתִי שָׁלוֹם׃ יג וְהָיְתָה לּוֹ וּלְזַרְעוֹ אַחֲרָיו בְּרִית כְּהֻנַּת עוֹלָם תַּחַת אֲשֶׁר קִנֵּא לֵאלֹהָיו וַיְכַפֵּר עַל־בְּנֵי יִשְׂרָאֵל׃ יד וְשֵׁם אִישׁ יִשְׂרָאֵל הַמֻּכֶּה אֲשֶׁר הֻכָּה

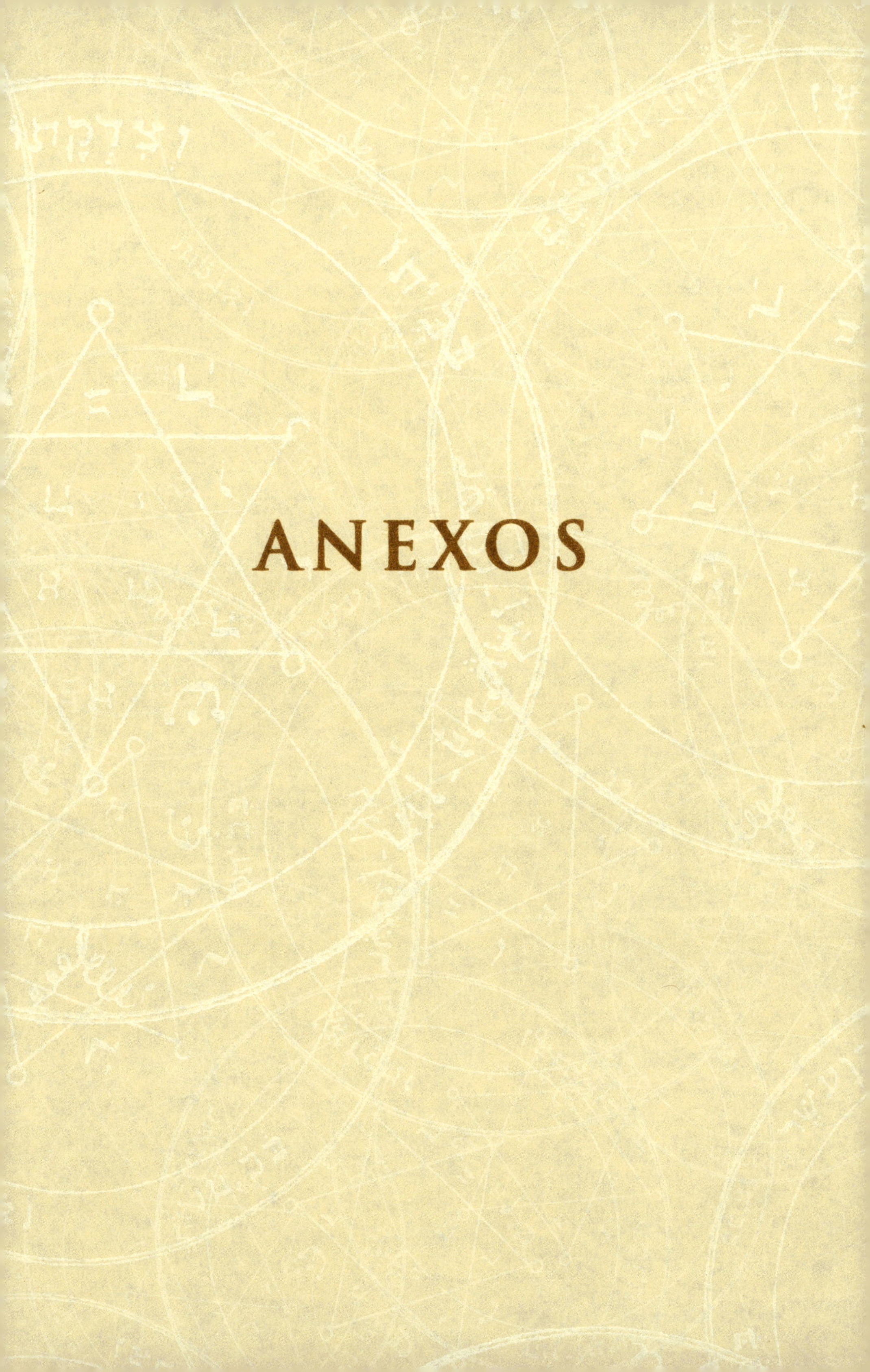

ANEXOS

I. RITUAL DE SHABAT

O casamento do Sagrado com o mundano

Aproveite este momento para esvaziar a mente, entrar em contato com sua essência, e assim se preparar adequadamente para um ritual de muita conexão com a luz do mundo infinito.

Celebramos o Shabat para ativar nossa lembrança, uma vez que sofremos do esquecimento desde a queda de dimensão de Adam e Havá no jardim do Éden. E para lembrar são importantes as diversas práticas, orações e meditações, que possibilitam manter-nos sempre atentos e fazer escolhas fundamentadas. As orações são ferramentas essenciais de conexão, pois, ao recitar palavras sagradas, nos comunicamos diretamente com o criador.

O Shabat começa ao anoitecer de sexta-feira e termina ao anoitecer de sábado. É uma oportunidade que temos semanalmente de quebrar o ciclo repetitivo e celebrar o casamento do mundo físico com o mundo espiritual.

Diferentemente dos seis dias anteriores, nos quais nos dedicamos muito aos afazeres do espaço, no Shabat cultuamos o tempo. O agora, que não por acaso se chama "presente". Neste dia santificado oferecemos todo o nosso tempo à reflexão e à alegria.

É preciso quebrar com a articulação da contrainteligência, com o ciclo de insatisfações e desejo de receber só para si. Reflexão e alegria são duas palavras-chaves nesse processo, que nos possibilitam profundas transformações em todos os nossos níveis de alma.

MEDITAÇÃO PARA O EQUILÍBRIO DAS EMOÇÕES

1ª Letra: Mem - Visualizar e fazer longas respirações abdominais.

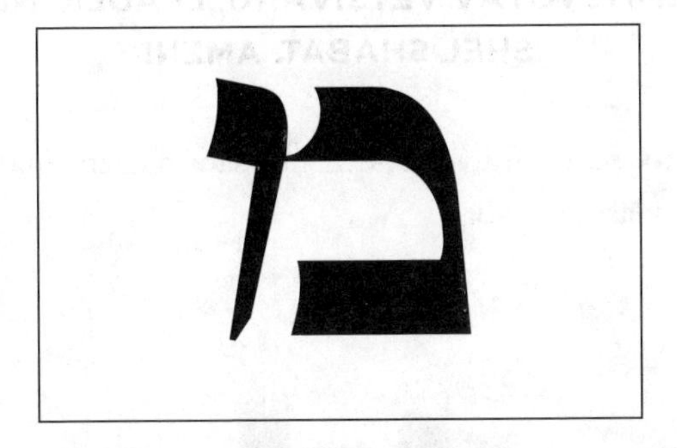

2ª Letra: Alef - Visualizar e fazer respirações no peito mais rápidas.

3ª Letra: Shin - Visualizar e fazer respirações em hiperventilação.

ACENDIMENTO DAS VELAS DE SHABAT

Convocamos, por meio de um ato físico, a presença de todos os nossos níveis de alma.

BARUCH ATÁ ADONAI, ELOHEINU
MELECH HÁ OLAM, ASHER KIDESHÁNU
BEMITSVOTÁV VETSIVÁNU, LEADLIC NER
SHEL SHABAT. AMEN!

Bendito é o Eterno, rei do universo, que nos santifica em suas conexões com o acendimento das velas do Shabat.

EVOCAÇÃO DOS PLANOS DA ÁRVORE DA VIDA

Trazemos à consciência os planos da ação, formação, criação e emanação.

Oficiante:	**Congregação:**
OLAM HÁ ASSIAH!	"OLAM HÁ ASSIAH!"
OLAM HÁ YETSIRAH!	"OLAM HÁ YETSIRAH!"
OLAM HÁ BRIAH!	"OLAM HÁ BRIAH!"
OLAM HÁ ATZILUT!	"OLAM HÁ ATZILUT!"

Silêncio: "BARUCH SHEM KEVOD! MALCHUTO LEOLAM VAED."

SALMO 92 – SHABAT

Os salmos são uma poderosa fórmula de cura, que não pode ser entendida literalmente. Que tal simplesmente recitá-los?

É bom celebrar Adonai, cantar Teu Nome, supremo. Relatar de manhã Teu bem querer, Tua adesão nas noites, ao alaúde, à harpa e ao murmúrio da lira. Sim, tu me regozijas, Adonai, por tua obra; jubilo ao feito de tuas mãos. Como são grandes Teus feitos, Adonai, muito profundos, Teus pensamentos! O homem estúpido não o penetra, o louco não discerne isso: à floração dos criminosos, como erva, todos os obreiros da fraude crescem para serem exterminados para sempre. Tu, altaneiro, em perenidade, Adonai! Sim, eis Teus inimigos, Adonai; sim, eis, Teus inimigos perderão; todos os obreiros da fraude se dividirão. Exaltas meu shofar como o dos antílopes; estou repleto de óleo luxuriante. Meu olho observa os que me fixam; meu ouvido ouve os que se erguem contra mim, os malfeitores. O justo floresce como uma tamareira; cresce como um cedro do Líbano. Plantados na casa de Adonai, eles florescerão. Nos átrios de nosso Elohim eles prosperam na senescência, cheios de seiva e luxuriantes, para relatar isto: Sim, ele é reto, Adonai, minha rocha, sem crime dentro dele. Amém!

CANÇÃO AOS JUSTOS

TSADIK KA-TAMAR IF'RACH

O justo floresce como uma tamareira

KE-EREZ BA-LE-VANON ISGUE

Cresce como um cedro do Líbano

SHETULIM BE-VEIT ADONAI BE-CHATS'ROT ELOHEINU IAF'RICHU

Plantados na casa de Adonai, eles florescerão. Nos átrios de nosso Elohim

OD IENUVUN BE-SEIVA DESHENIM VE-RA'ANANIM I'IU

Eles prosperam na senescência, cheios de seiva e luxuriantes, para relatar isto;

LE- HAGUID KI IASHAR ADONAI TSURI VE-LO AV'LATA BO.

Sim, ele é reto, Adonai, minha rocha, sem crime dentro dele.

KADISH

Lembramos de amigos e antepassados que deixaram esta dimensão, e como suas palavras e gestos de carinho sempre estarão conosco.

YITCADÁL VEYITCADÁSH SHEMÊ RABÁ. AMEN.
BEALMÁ DE VERÁ CHIR´UTE VEIAMLICH MALCHUTÊ
VEIATZMACH PURCANÊ VICARÊV MESHICHE. AMEN.

BECHAIECHÓN UVEIOMECHÓN UVECHAIÊ DECHOL
BEIT YISRAEL, BAAGALÁ UVIZMÁN CARÍV VEIMRÚ. AMEN.

IEHÊ SHEMÊ RABÁ MEVARÁCH LEALÁM ULEALMÊ ALMAIÁ.
YITBARÁCH, VEYISHTABÁCH, VEYITPAÁR, VEYITROMAM,
VEYITNASSÊ, VEYIT'ADAR VEYIT'ALÊ,VEYIT'ALAL, SHEMÊ
DECUDSHÁ BRICHU. AMEN.

LEÊLA MIN COL BIRCHATÁ SHIRATÁ TUSHBECHATÁ
VENECHEMATÁ DAAMIRÁN BEALMÁ VEIMRU. AMEN.
TITCABAL TZELOTEON UVAUTEON DECHOL BEIT
YISRAEL CODAM AVUÓN DI VISHMAIÁ, VEIMRU AMEN.

IEHÊ SHELAMÁ RABÁ MIN SHEMAIÁ VECHAYIM TOVIM ALEINU
VEAL COL YISRAEL, VEIMRU. AMEN.

OSSÊ SHALOM BIM'ROMAV, HU IAASSÊ SHALOM ALEINU VEAL
CÓL YISRAEL, VEIMRU. AMEN.

O ato de recitar palavras sagradas e se comunicar diretamente com o criador possui um imenso poder purificador. Os sete versos de Ana Becoach evocam a força da criação. Uma oração abençoada, com 42 palavras mágicas, que abrem caminho para transcendermos o mundo físico e nos reconectarmos à semente original da criação.

ORAÇÃO ANA BECOACH

צ	ת	י	ג	ב	א
TSERURA	TATIR	YEMINCHÁ	GUEDULAT	BECOACH	ANA
נ	ט	ש	ע	ר	ק
NORÁ	TAHAREINU	SAGVEINU	AMECHA	RINAT	KABEL
ש	כ	י	ד	ג	נ
SHOMREM	KEVAVAT	YICHUDECHÁ	DORSHEI	GIBOR	NA
ג	ת	צ	ר	ט	ב
GOMLEM	TAMID	TSIDKATECHÁ	RACHAMEI	TAHAREM	BARCHEM
ע	נ	ט	ב	ק	ח
ADATECHA	NAHEL	TUVCHA	BEROV	KADOSH	CHASSIN
ק	ז	פ	ל	ג	י
KEDUSHATECHÁ	ZOCHREI	PENEI	LEAMECHA	GEE	YACHID
ת	י	צ	ו	ק	ש
TA ' ALUMOT	YODEA	TSAKATEINU	USHMÁ	KABEL	SHAVATEINU

EM SILÊNCIO - VAED OLAM LE MALCHUTO KEVOD SHEM BARUCH.

ADON OLAM

Este cântico descreve a onipresença do Criador, Eterno soberano do universo. O poema é composto de dez linhas, cada uma com o mesmo número de sílabas, equilibrando as dez Sefirot da Árvore da Vida.

Atenção: Ao ler "CH" pronuncie sempre como "RR". Ex: Chalá = Ralá

ADON OLAM ASHER MALACH. BE TEREM KOL ITZIR NIVRACH:

Ele é o Eterno Soberano que reinou antes de toda a criação.

LEET NAASSÁ BE CHEFTZO COL. AZAI MELECH SHMÓ NICRÁ:

Quando tudo se fez conforme Sua vontade, Ele foi proclamado Rei.

VEACHAREI KICHLOT DACHOL. LEVADÓ IMLOCH NORÁ:

E depois de tudo acabado, só Ele reinará.

VE HU AIÁ, VE HU HOVÉ. VE HU IHIÉ BE TIF´ARÁ:

Ele esteve, Ele está e Ele estará em glória.

VE HU ECHAD VE EIN SHEINI. LEHAMSHIL LÓ LEHACHBIRÁ:

Ele é um, e não há outro: a nada Ele pode ser comparado.

BLI REISHIT BLI TACHLIT. VE LÓ HAOZ VEHAMISRÁ:

Sem começo e sem fim, pertence-Lhe a força e o domínio.

VE HU EILI VE CHAI GOALÍ. VETZUR CHEVLÍ BEEIT TZARÁ:

É ele meu redentor, amparo para minhas dores nos dias de angústia.

VE HU NISSI U MANOSS LÍ. MNAT COSSÍ BEIOM ECRÁ:

Meu estandarte e refúgio, partilha do meu cálice no dia em que o invocar.

EBEIADÓ AFKID RUCHÍ. BEEIT ISHÁN VEAIRÁ:

Em suas mãos deposito a minha alma, ao adormecer e ao acordar.

VEIM RUCHI GVIATÍ. ADONAI LÍ VE LÓ IRÁ:

E com alma e corpo me entrego. O Eterno está comigo e assim nada receio.

Neste momento equilibramos nosso receptor, para que possamos receber a presença da Shechiná. Não, não é necessário procurá-la. Basta estarmos presentes que a presença divina vem até nós.

כהת	אכא	ללה	מהש	עלם	סיט	ילי	והו
הקם	הרי	מבה	יזל	ההע	לאו	אלד	הזי
חהו	מלה	ייי	נלך	פהל	לוו	כלי	לאו
ושר	לכב	אום	ריי	שאה	ירת	האא	נתה
ייז	רהע	חעם	אני	מנד	כוק	להח	יחו
מיה	עשל	ערי	סאל	ילה	וול	מיכ	ההה
פוי	מבה	נית	ננא	עמם	החש	דני	והו
מחי	ענו	יהה	ומב	מצר	הרח	ייל	נמם
מום	היי	יבמ	ראה	חבו	איע	מנק	דמב

Os 72 nomes de Deus são uma poderosa meditação cabalista que deve ser feita diariamente e nos ajuda a enxergar o mundo dos 100%.

ORAÇÃO SHEMÁ YISRAEL

Proclamamos nossa unicidade com o Criador e nos dirigimos à Terra Prometida, dimensão que traz sentido à nossa existência. Com a mão direita sobre os olhos recitamos:

SHEMÁ YISRAEL, ADONAI ELOHÊINU, ADONAI E-CHA-D.

ORAÇÃO DE REFLEXÃO DE SHABAT

Agradecemos por todas as gerações que nos trouxeram a este mundo. Agradecemos por todos os seres amados que trazem um sentido único à nossa existência. Agradecemos pelas maravilhas da natureza, pelos milagres, por toda alegria, agradecemos pela vida.

Abençoado és Tu, Adonai, fonte de toda bondade. Que possamos nutrir-nos profundamente desta fonte. Estar em paz conosco, com nossos vizinhos, trazer paz às nações deste mundo, redescobrindo-nos partes de um *Echad*. Abençoado és Tu, Adonai, fonte de toda paz.

Eterno, guarde minha língua de pronunciar o mal e meus lábios de expressar falsidade. Abre meu coração para a verdade, para que minha alma siga o caminho dos justos. Que as palavras de minha boca e as meditações de meu coração sejam a expressão do amor que vislumbro agora. Que a Luz divina nos proteja e nos guie pelo caminho da Paz.

EVOCAÇÃO DOS ANJOS DO SHABAT
SHALOM ALEICHEM

SHALOM ALEICHEM, MAL'ACHÊI HASHARET, MAL'ACHÊI ELION,

MIMÉLECH MAL'ACHÊI HAMELACHIM, HACADOSH BARUCH HÚ.

BOACHÊM LESHALOM, MAL'ACHÊI HASHALOM, MAL'ACHÊI ELION,

MIMÉLECH MALACHÊI HAMELACHIM, HACADOSH BARUCH HÚ.

BARCHÚNI LESHALOM, MAL'ACHÊI HASHALOM, MAL'ACHÊI ELION,

MIMELÉCH MAL'ACHÊI HAMELACHIM, HACADOSH BARUCH HÚ.

TSETCHÉM LESHALOM, MAL'ACHÊI HASHALOM, MAL'ACHÊI ELION,

MIMÉLECH MALCHÊI HAMELACHIM, HACADOSH BARUCH HÚ

ORAÇÃO AOS ANTEPASSADOS

Por meio deste fluxo de bênçãos nos conectamos com os três pilares da Árvore da Vida, representados por cada um dos Patriarcas.

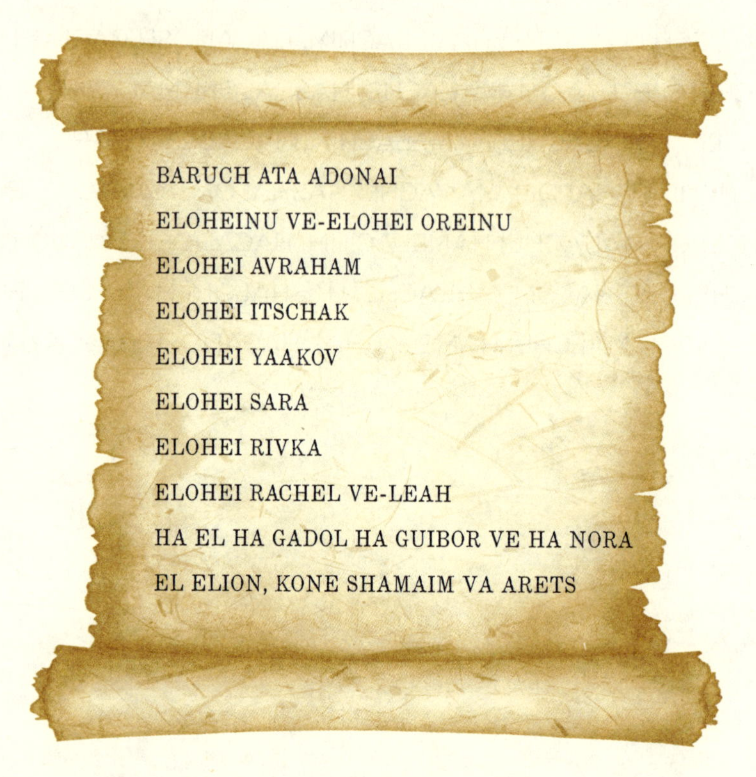

BARUCH ATA ADONAI
ELOHEINU VE-ELOHEI OREINU
ELOHEI AVRAHAM
ELOHEI ITSCHAK
ELOHEI YAAKOV
ELOHEI SARA
ELOHEI RIVKA
ELOHEI RACHEL VE-LEAH
HA EL HA GADOL HA GUIBOR VE HA NORA
EL ELION, KONE SHAMAIM VA ARETS

EVOCAÇÃO DA PAZ

Evocamos a proteção dos anjos nos conectando a verdadeira dimensão da palavra Shalom. O encontro da paz dentro de nós mesmos. Uma paz que permeia nossos sentimentos, nosso corpo e nossa alma. Que nos faz querer muito bem a todos os seres que habitam nosso planeta.

Oficiante:

OSSE SHALOM OSSE SHALOM

Congregação:

OSSE SHALOM OSSE SHALOM

KIDUSH

O vinho de Shabat revitaliza a nossa Néfesh revigorando assim nossos órgãos e circulação sanguínea. MAZAL TOV.

Oficiante: Segurem o vinho com a mão direita. Preparem a refeição da fé perfeita, que é a alegria do Santíssimo:

YOM HASHISHI VAYECHULU ASHAMAYIM VEA'ÁRETZ VECHOL TZAV'AM. VAYECHAL ELOHIM BAYOM ASHIVI'I MELACHTÓ ASHER ASÁ, VAYISHBOT BAYOM HASHIVI'I MIKOL MELACHTÓ ASHER ASÁ. VAYEVARECH ELOHIM ET YOM ASHVI'I VAYEKADESH OTÓ, KI VO SHAVAT MIKOL MELACHTÓ ASHER BARÁ ELOHIM LA'ASOT.

Oficiante diz em voz alta e congregação repete:

BARUCH ATA ADONAI
ELOHÊINU MÉLECH
HA OLAM, BORÊ
PRI AGÁFEN.
AMEN!

Oficiante: LECHAIM!

Congregação: LECHAIM!

CONSAGRAÇÃO DO PÃO

Por último, juntos consagramos o pão de Shabat. Estamos prontos para romper com o repetitivo e recriar a nossa vida!

Oficiante: Todos de pé. Segurem a chalá com a mão direita.

BARUCH ATA ADONAI
ELOHÍNU MÉLECH HÁ
OLAM. AMOTSI LECHEM
MIN AARETS

HAVDALÁ – ENCERRAMENTO DO SHABAT

Após as 24 horas de reflexão e alegria estamos prontos para começar uma nova semana. Com espírito renovado, e novo espaço de criatividade, encerramos este sagrado dia de Shabat com o acendimento de uma vela e orações.

O seguinte procedimento, a ser realizado no pôr do sol de sábado, deve ser seguido para o encerramento do Shabat:

1) MEDITAÇÃO NOS 72 NOMES DE DEUS

כהת	אכא	ללה	מהש	עלם	סיט	ילי	והו
הקם	הרי	מבה	יזל	ההע	לאו	אלד	הזי
חהו	מלה	ייי	נלך	פהל	לוו	כלי	לאו
ושר	לכב	אום	ריי	שאה	ירת	האא	נתה
ייז	רהע	חעם	אני	מנד	כוק	להח	יחו
מיה	עשל	ערי	סאל	ילה	וול	מיכ	ההה
פוי	מבה	נית	ננא	עמם	החש	דני	והו
מחי	ענו	יהה	ומב	מצר	הרח	ייל	נמם
מום	היי	יבמ	ראה	חבו	איע	מנק	דמב

2) ORAÇÃO ANA BECOACH

Veja a oração na página 16.

3) CONSAGRAÇÃO DO VINHO

BARUCH ATA ADONAI ELOHÊINU MÉLECH HÁ OLAM, BORÊ PRI AGÁFEN.

BENDITO ÉS TU, Ó ETERNO, REI DO UNIVERSO, QUE CRIA O FRUTO DA VINHA.

Toma-se meio cálice do vinho.

4) BÊNÇÃO DAS ESPECIARIAS

Aqui sentimos o aroma de especiarias (canela, por exemplo).

BARUCH ATÁ ADONAI, ELOHÊINU, MÊLECH HÁ OLAM, BORÊ MINÊ BESSAMIM.

BENDITO ÉS TU, Ó ETERNO, REI DO UNIVERSO, QUE CRIA DIVERSOS TIPOS DE ESPECIARIAS AROMÁTICAS.

5) ACENDIMENTO DA VELA DA HAVDALÁ

Apagam-se as luzes para se destacar a luz da vela. Acende-se então a vela.

BARUCH ATÁ ADONAI, ELOHÊINU, MÊLECH HÁ OLAM, BORÊ MEORÊ HAESH.

BENDITO ÉS TU, Ó ETERNO, REI DO UNIVERSO, QUE CRIA AS CHAMAS DO FOGO.

6) BÊNÇÃO DA SEPARAÇÃO DOS DIAS

BARUCH ATÁ ADONAI, ELOHÊINU, MÊLECH HÁ OLAM, HAMAVDIL BEM CÔDESH LECHOL, BEN OR LECHÔSHECH, BEM YISRAEL LAAMIM, BEM YOM HASHEVIÍ LESHÊSHET YEMÊ HAMAASSÊ. BARUCH ATÁ ADONAI, HAMAV-DIL BEM CÔDESH LECHOL.

BENDITO ÉS TU, Ó ETERNO, REI DO UNIVERSO, QUE DISTINGUE ENTRE SANTO E CORRIQUEIRO.

Toma-se o que sobrou do cálice do vinho.

II. GUIA DE ROSH CHODESH E ROSH HÁ SHANÁ

Uma semente de Vida e Renovação

O ritual de lua nova

Durante o ritual de lua nova plantamos uma nova semente para todo o mês. Para isso precisamos entender a energia vigente do mês e também contemplar suas respectivas letras. Utiliza-se ainda uma importante ferramenta no ritual de lua nova: o Shofar.

O Shofar é um dos instrumentos de sopro mais antigos usados pelo homem. Ele possui um sentido muito profundo e por isso não é considerado um instrumento musical e nem é usado para diversão. É costume entre os cabalistas tocar três vezes o Shofar nesse ritual e há um motivo para isso. Seu som é um chamado para a luta contra o maior de nossos inimigos: aquele que mora dentro de nós mesmos.

Devemos estar impregnados de um profundo desejo de compartilhar durante todo o ritual de lua nova e, por isso, a partir do término do ritual, já podemos dar nosso cofre de Tsedaká e imediatamente começar um novo.

O ano-novo (rosh há shaná)

O ano-novo cabalista é um momento de grande concentração de energia. Fazemos um ritual poderoso, em que ouvimos 101 vezes o som do Shofar e plantamos uma grande semente de transformação.

Logo após a explosão de energia do ano novo entramos em profunda restrição e reavaliação durante dez intensos dias. Um processo que culmina com um dia de jejum absoluto.

O Shofar é tocado também durante todo o mês anterior ao ano-novo cabalista (Elul), no próprio ano-novo (Rosh Há Shaná) e dez dias depois, no dia do perdão (Yom Kipur).

CONEXÃO COM O MUNDO DA EMANAÇÃO

ATZILUT

י

CONEXÃO COM O MUNDO DA CRIAÇÃO

BIRIÁH

יה

CONEXÃO COM O MUNDO DA FORMAÇÃO

YETSIRIÁH

יהו

CONEXÃO COM O MUNDO DA AÇÃO

ASSIIÁH

יהוה

ACENDIMENTO DA VELA DE YOM TOV

Convocamos, através de um ato físico, a presença de todos os nossos níveis de alma.

**BARUCH ATÁ ADONAI, ELOHEINU
MELECH HÁ OLAM, ASHER KIDESHÁNU
BEMITSVOTÁV VETSIVÁNU, LEADLIC NER
SHEL YOM TOV. AMEN!**

Bendito é o Eterno, rei do universo, que nos santifica em suas conexões com o acendimento das velas de um dia bom.

O Salmo 50 emana uma intensa onda de cura. Recitamos este Salmo na Lua Nova para criar uma semente de paz e harmonia em todos os nossos níveis de alma.

SALMO 50

Um salmo, por Assaf. Ó Todo-Poderoso, nosso Deus falou e convocou toda a terra, do levante ao poente. De Tsion, a beleza perfeita, ele apareceu. Que venha o nosso Deus e não se cale; um fogo devorador o precede, ao seu redor esbraveja a tempestade. Ele convoca os céus acima e a terra para julgar o seu povo. Juntem-se a Mim, Meus devotos, que fizeram uma aliança comigo através de sacrifícios. Então os céus proclamaram sua retidão, pois o Eterno é o juiz. Escuta bem meu povo e eu falarei, ó Israel, e Eu prestarei testemunho. Eu sou o Eterno, teu Deus. Não te reprovarei pela falta de teus sacrifícios, pois tuas oferendas trazes a cada dia. Não requisito novilhos de teus cerrados nem cabritos de teus rebanhos. Pois meu é todo animal da floresta, o gado que vagueia sobre os montes. Conheço cada ave das montanhas, e cada criatura que rasteja pelos campos. Se eu tivesse fome, não te contaria, pois a mim pertence o universo e tudo que há nele. Necessito comer a carne dos novilhos ou o sangue dos cabritos? Oferece antes um sacrifício de agradecimento e cumpre teus votos para com o altíssimo. Clama por Mim no dia da aflição, eu te libertarei e tu Me honrarás. Mas, para os ímpios, diz o Eterno: "Para que recitas minhas leis e tens em teus lábios as palavras da minha aliança?" Tu que abominas qualquer disciplina e renegas minhas palavras. Ao encontrar um ladrão, a ele te associas e por companhia busca os adúlteros. Tua boca dedicaste ao mal e tua língua à falsidade. Assim que sentas, contra teu irmão tu falas, contra o filho de tua mãe espalhas desonra. Assim agiste e poderei eu ficar calado? Pensaste que Eu fosse como tu? Mas sabes que não. Censurar-te-ei e abertamente te julgarei. Compreende bem que tu esqueceste do Eterno para que eu não te destrua sem que possas te salvar. Aquele que traz oferendas de agradecimento honra a mim; e aquele que procura sempre melhorar o seu caminho, a este mostrarei a redenção divina. Amém!

O ato de recitar palavras sagradas e se comunicar diretamente com o criador possui um imenso poder purificador. Os sete versos de Ana Becoach evocam a força da criação. Uma oração abençoada, com 42 palavras mágicas, que abrem caminho para transcendermos o mundo físico e nos reconectarmos à semente original da criação.

ORAÇÃO ANA BECOACH

צ TSERURA	ת TATIR	י YEMINCHÁ	ג GUEDULAT	ב BECOACH	א ANA
נ NORÁ	ט TAHAREINU	ש SAGVEINU	ע AMECHA	ר RINAT	ק KABEL
ש SHOMREM	כ KEVAVAT	י YICHUDECHÁ	ד DORSHEI	ג GIBOR	נ NA
ג GOMLEM	ת TAMID	צ TSIDKATECHÁ	ר RACHAMEI	ט TAHAREM	ב BARCHEM
ע ADATECHA	נ NAHEL	ט TUVCHA	ב BEROV	ק KADOSH	ח CHASSIN
ק KEDUSHATECHÁ	ז ZOCHREI	פ PENEI	ל LEAMECHA	ג GEE	י YACHID
ת TA ' ALUMOT	י YODEA	צ TSAKATEINU	ו USHMÁ	ק KABEL	ש SHAVATEINU

EM SILÊNCIO - VAED OLAM LE MALCHUTO KEVOD SHEM BARUCH.

ADON OLAM

Este cântico descreve a onipresença do Criador, Eterno soberano do universo. O poema é composto de dez linhas, cada uma com o mesmo número de sílabas, equilibrando as dez Sefirot da Árvore da Vida.

Atenção: Ao ler "CH" pronuncie sempre como "RR". Ex: Chalá = Ralá

ADON OLAM ASHER MALACH. BE TEREM KOL ITZIR NIVRACH.

Ele é o Eterno Soberano que reinou antes de toda a criação.

LEET NAASSÁ BE CHEFTZO COL. AZAI MELECH SHMÓ NICRÁ.

Quando tudo se fez conforme Sua vontade, Ele foi proclamado Rei.

VEACHAREI KICHLOT DACHOL. LEVADÓ IMLOCH NORÁ.

E depois de tudo acabado, só Ele reinará.

VE HU AIÁ, VE HU HOVÉ. VE HU IHIÉ BE TIF´ARÁ.

Ele esteve, Ele está e Ele estará em glória.

VE HU ECHAD VE EIN SHEINI. LEHAMSHIL LÓ LEHACHBIRÁ.

Ele é um, e não há outro: a nada Ele pode ser comparado.

BLI REISHIT BLI TACHLIT. VE LÓ HAOZ VEHAMISRÁ.

Sem começo e sem fim, pertence-Lhe a força e o domínio.

VE HU EILI VE CHAI GOALÍ. VETZUR CHEVLÍ BEEIT TZARÁ.

É ele meu redentor, amparo para minhas dores nos dias de angústia.

VE HU NISSI U MANOSS LÍ. MNAT COSSÍ BEIOM ECRÁ.

Meu estandarte e refúgio, partilha do meu cálice no dia em que o invocar.

EBEIADÓ AFKID RUCHÍ. BEEIT ISHÁN VEAIRÁ.

Em suas mãos deposito a minha alma, ao adormecer e ao acordar.

VEIM RUCHI GVIATÍ. ADONAI LÍ VE LÓ IRÁ.

E com alma e corpo me entrego. O Eterno está comigo e assim nada receio.

Neste momento equilibramos nosso receptor, para que possamos receber a presença da Shechiná. Não, não é necessário procurá-la. Basta estarmos presentes que a presença divina vem até nós.

Os 72 nomes de Deus são uma poderosa meditação cabalista que deve ser feita diariamente e nos ajuda a enxergar o mundo dos 100%.

כהת	אכא	ללה	מהש	עלם	סיט	ילי	והו
הקם	הרי	מבה	יזל	ההע	לאו	אלד	הזי
חהו	מלה	ייי	נלך	פהל	לוו	כלי	לאו
ושר	לכב	אום	ריי	שאה	ירת	האא	נתה
ייז	רהע	חעם	אני	מנד	כוק	להח	יחו
מיה	עשל	ערי	סאל	ילה	וול	מיך	ההה
פוי	מבה	נית	ננא	עמם	החש	דני	והו
מחי	ענו	יהה	ומב	מצר	הרח	ייל	נמם
מום	היי	יבם	ראה	חבו	איע	מנק	דמב

MEDITAÇÕES COM VOCALIZAÇÕES

Fazemos conexão com os anjos, nos preparando para, dentro de um novo ciclo, desenvolver construtivamente nossos potenciais.

אבגדהוזחטיכלמנסעפצקרשת

LUA NOVA	MEDITAÇÕES ABAIXO
ÁRIES — NISSAN	pág. 129
TOURO — YIAR	pág. 130
GÊMEOS — SIVAN	pág. 131
CÂNCER — TAMUZ	pág. 132
LEÃO — AV	pág. 133
VIRGEM — ELUL	pág. 134
LIBRA — TISHREI	pág. 135
ESCORPIÃO — CHESHVAN	pág. 136
SAGITÁRIO — KISLEV	pág. 137
CAPRICÓRNIO — TEVET	pág. 138
AQUÁRIO — SHEVAT	pág. 139
PEIXES — ADAR	pág. 140

אבגדהוזחטיכלמנסעפצקרשת

AVINU MALKEINU SH'MA KOLENU.
Nosso Pai, Nosso Rei, ouve a nossa voz
AVINUMALKEINUCHATANU L'FANEYCHA.
Nosso Pai, Nosso Rei, nós pecamos
AVINU MALKEINU CHAMOL ALEYNU.
Nosso Pai, Nosso Rei, tenha compaixão de nós
VE'AL OLALEYNU VETAPEINU.
E sobre nossos filhos
AVINU MALKEINU KALEH DEVER.
Nosso Pai, Nosso Rei, ponha fim à peste
VECHEREV VERA'AV MEALEYNU.
Guerra e fome à nossa volta
AVINU MALKEINU KALEH CHOL TSAR.
Nosso Pai, Nosso Rei, traga fim a todos os problemas
UMASTIN MEALEYNU.
E da opressão que nos rodeia
AVINU MALKEINU AVINU MALKEINU.
Nosso Pai, Nosso Rei, Nosso Pai, Nosso Rei
KAT'VEINU BESEFER CHAYIM TOVIM.
Inscreve-nos no livro da vida
AVINU MALKEINU CHADESH ALEYNU.
Nosso Pai, Nosso Rei, renovar em cima de nós
CHADESH ALEYNU SHANAH TOVAH.
Renova a nós um bom ano
SH'MA KOLENU, SH'MA KOLENU, SH'MA KOLENU.
Ouvi a nossa voz, Ouvi a nossa voz, Ouvi a nossa voz
AVINU MALKEINU, AVINU MALKEINU.
Nosso Pai, Nosso Rei, Nosso Pai, Nosso Rei
CHADESH ALEYNU SHANAH TOVAH.
Renova a nós um bom ano
AVINU MALKEINU.
Nosso Pai, Nosso Rei
SH'MA KOLENU, SH'MA KOLENU, SH'MA KOLENU.
Ouvi a nossa voz, Ouvi a nossa voz, Ouvi a nossa voz

TOQUES DO SHOFAR

Ao ouvir os toques do Shofar recebemos um comando espiritual, reforçando nossas inclinações mais positivas, rumo à realização de nossa missão.

Adonai Elohim, eleva o som das Tuas palavras. Eleva a voz do Shofar a todos os cantos do universo.

BARUCH ATÁ ADONAI, ELOHEINU
MELECH HÁ OLAM, ASHER KIDESHÁNU
BEMITSVOTÁV VETSIVÁNU, LISMOA
COL SHOFAR. AMEN!

Bem-aventurado os que conhecem o som do Shofar. Bem-aventurado os que sabem reconhecer as fendas do tempo para a redenção. Segundo a vontade de Adonai nosso Elohim, exalta o nosso poder.

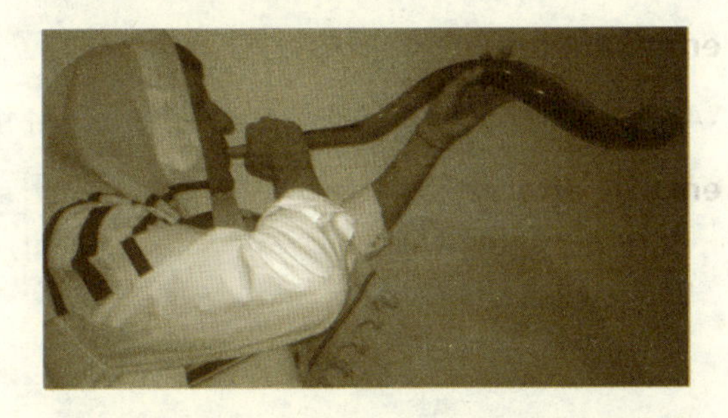

ORAÇÃO DE LUA NOVA

Agradecemos por este novo mês e pela possibilidade de aprimoramento de nossa alma.
Agradecemos pela luz, pelo alimento, pela água, pelo trabalho, por este teto, pela beleza de tuas criaturas, pelo milagre da vida.
Agradecemos pela surpresa de tua presença em cada ser, por teu amor que nos sustenta e protege, pelo teu perdão que nos faz crescer.
Agradecemos pela alegria de sermos úteis, servindo à humanidade e aos que nos cercam.
Que neste novo mês possamos nos tornar melhores.
Abençoa, ó Eterno, o nosso mês, a nossa congregação, os nossos corpos, os nossos familiares e amigos.

KIDUSH

Oficiante:

Segurem o vinho com a mão direita. Preparem a refeição da fé perfeita, que é a alegria do Santíssimo:

BARUCH ATA ADONAI
ELOHÊINU MÉLECH
HA OLAM, BORÊ
PRI AGÁFEN.
AMEN!

Oficiante: LECHAIM!

Todos em voz alta: LECHAIM!

'BARUCH HÁ SHEM KADOSH BARU'CHU'

Todos em voz alta: IEDA CABALÁ

'BARCHEM TAAREM, RACHAMEI TZIDCATECHÁ TAMID GOMLEM'

Todos em voz alta: NETZACH ARCHAV

CONFRATERNIZAÇÃO

Terminamos o ritual cantando, dançando e agradecendo.

OSSE SHALOM BIMROMAV, UHYA ASSE SHALOM ALEINU VE AL COL YISRAEL VEIMRU IMRU AMEN.

Aquele que estabelece a paz nos céus fará a paz sobre nós e sobre todo o Yisrael e todos digam Amém.

MAARIV

Oficiante: BARECHÚ ET ADONAI HAMEVORACH.

Congregação: BARUCH ADONAI HAMEVORÁ LEOLAM VAED.

Bendito sejas, ó Eterno, nosso Deus, rei do universo, que ordenaste o ritmo da vida. A luz do dia conclamamos à atividade e ao esforço. Ao pôr do sol cessam os nossos trabalhos e damos as boas-vindas à noite. Confiamos as nossas forças à tua guarda e nos entregamos à tranquilidade do sono. Pois sabemos que não dormes nem cochilas. Por isso, nesta hora, agradecemos-Te o dia e as Tuas tarefas, bem como a noite e o Teu descanso restabelecedor. Bendito sejas, ó Eterno, que fazes cair as noites.

BARUCH ATA ADONAI ELOHÊNU MÉLECH HAOLAM, ASHER BIDVARÓ MAARIV ARAVIM, BECHOCHMA POTEACH SHEARIM, UVITVUNA MESHANE ITÍM UMACHALIF ET HAZEMANIM, UMESSADER ET HACOCHAVIM BEMISHMEROTEHÊM BARAKÍA KIRSTSONO. BORE IOM VALAILA, GOLÊL OR MIPNÊ CHÓSHECH VECHÓSHECH MIPNÊ OR. UMAAVIR IOM UMÊVI LÁILA UMAVDIL BÊN IOM UVÊN LÁILA, ADONAI TSEVAÓT SHEMO. CANTOR: EL CHAI VECAIAM TAMID YIMLOCH ALÊNU LEOLAM VAED. BARUCH ATA ADONAI, HAMAARIV ARAVÍM.

Amor Eterno dedicaste ao Teu povo. A Torá e os mandamentos, os estatutos e os preceitos nos ensinaste. Por isso, ó Eterno, nosso Deus, ao nos deitarmos e ao nos levantarmos, meditamos sobre os Teus estatutos e nos alegramos com as palavras da Tua Torá e dos Teus mandamentos, por todo o sempre. Ei-las como nossa verdade e elas perfazem a riqueza dos nossos dias; nelas refletimos dia e noite. Jamais afastarás de nós o Teu amor. Bendito sejas, ó Eterno, que amas Teu povo.

AHAVAT OLAM BET YISRAEL AMECHÁ AHÁVTA, TORA UMISTSVÓT CHUKIM UMISHPATIM OTÁNU LIMADETA, AL

KEN ADONAI ELOHÊNU BESHOOCHVÊNU UVEKUMÊNU NASSIACH BECHUKÊCHA, VENISMACH BEDIVRÊ TORATÊCHA UVEMITSVOTÊCHA LEOLAM VAED, KI HEM CHAIÊNU VEORECH IAMÊNU, UVAHÊM NEHEGUÊ IOMM VALAILÁ. CANTOR: VEAHAVATECHÁ AL TASSÍR MIMÊNU LEOLAMIM. BARUCH ATA ADONAI, OHÊV AMO YISRAEL.

SHEMÁ ISRAEL, ADONAI ELOHÊNU, ADONAI ECHAD.

Amarás o Eterno, teu Deus, de todo o teu coração, de toda a tua alma e de toda a tua força. Que estas palavras que hoje te ordeno sejam gravadas no teu coração! Tu as ensinará aos teus filhos, falando delas ao te sentares na tua casa, quando estiveres caminhando, ao te deitares e ao te levantares. E as atarás de sinal à tua mão e as manterás como um símbolo entre os teus olhos. E as escreverás nos batentes da tua casa e nas tuas portas.

Oficiante:

Ouça, Adonai, a voz desta congregação. Ouça, Adonai, e decreta que todo voto, juramento, proibição, e até mesmo abstinência voluntária ou imposta a terceiros em qualquer linguagem negativa será purificada neste instante pela luz do mundo infinito.

Congregação:

Amém!

Oficiante:

Todos os pactos negativos te são anulados, todos te são perdoados, todos te são absolvidos! Não existirá nem voto, nem juramento, nem formas negativas em nossas vidas neste instante. E da mesma forma que nós, nesta corte terrestre, realizamos esta anulação, assim sejam anulados os pactos negativos na corte celestial.

Congregação:

Amém!

Oficiante:

Venho, pois, informar a todos que, de agora em diante estão cancelados todos os votos, promessas, proibições, consentimentos e resoluções que não tenham sido da vontade de Adonai Elohim Tzevaot.

Congregação:

Amém!

Adonai Elohim, eleva o som das Tuas palavras. Eleva a voz do Shofar a todos os cantos do universo.

BARUCH ATÁ ADONAI, ELOHEINU MELECH HÁ OLAM, ASHER KIDESHÁNU BEMITSVOTÁV VETSIVÁNU, LISMOA COL SHOFAR. AMEN!

Bem-aventurado os que conhecem o som do Shofar. Bem-aventurado os que sabem reconhecer as fendas do tempo para a redenção. Segundo a vontade de Adonai nosso Elohim, exalta o nosso poder.

PILAR DA DIREITA - CORREÇÃO DA IDOLATRIA

Ao ouvir os toques de Avraham, conectamo-nos com todo o nosso desejo de compartilhar, através da alegria em auxiliar o próximo e da abertura do conhecimento da Cabala para toda a humanidade.

PILAR DA ESQUERDA - CORREÇÃO CONTRA TRAIÇÃO

Ao ouvir os toques de Itzaac, conectamo-nos à disciplina de nos manter no caminho, mesmo nas horas mais difíceis. Também a receber toda a luz do mundo infinito em nossas vidas.

PILAR CENTRAL - CORREÇÃO DA REATIVIDADE

Ao ouvir os toques de Yacov, conectamo-nos à força da pausa em nossas vidas. Que a cada estímulo recebido possamos inserir uma meditação, uma injeção de luz, para que somente então, guiados pela luz do mundo infinito, possamos reagir.

MALCHUT - CORREÇÃO DO LASHON HARÁ

Ao ouvir os toques de Davi e Rachel, conectamo-nos à força do mundo material e do nosso corpo físico. Neste momento revitalizamos nossa Néfesh, plantando uma nova semente de saúde e prosperidade para o novo ano que se inicia.

UNIDADE (ADÂM) - CONSCIÊNCIA DA IMORTALIDADE

Ao ouvir o toque do anjo Michael, relacionado à unicidade, conectamo-nos à unidade de nosso grupo. Com um profundo sentimento de autoanulação, juntamo-nos à consciência de todos os grupos que procuram a paz no mundo.

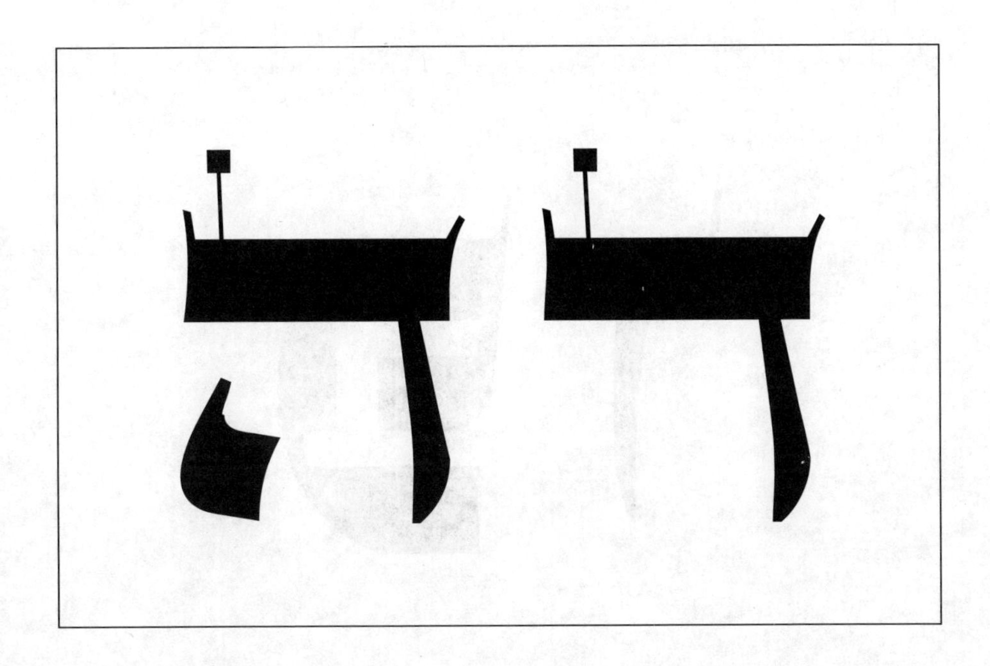

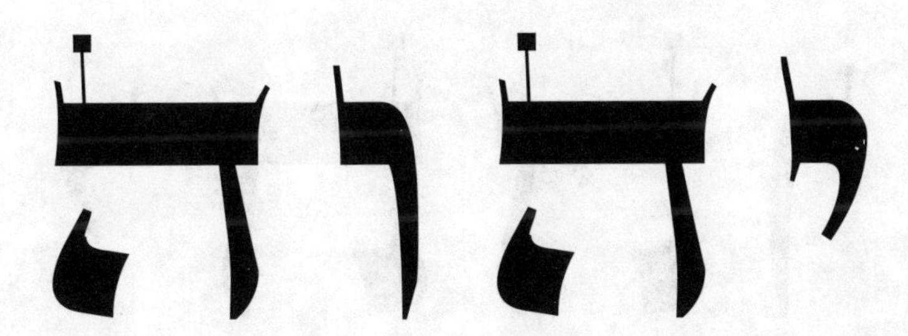

CONEXÃO PARA: ROMPER COM A ESTAGNAÇÃO/ DESENVOLVIMENTO DE NOVOS PROJETOS

TOURO – IYAR

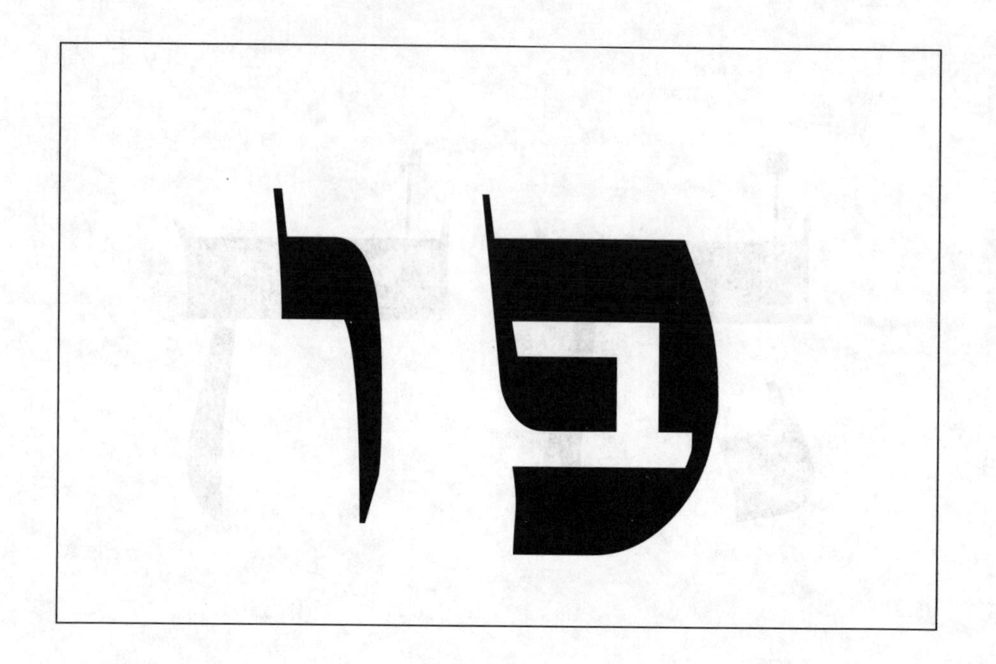

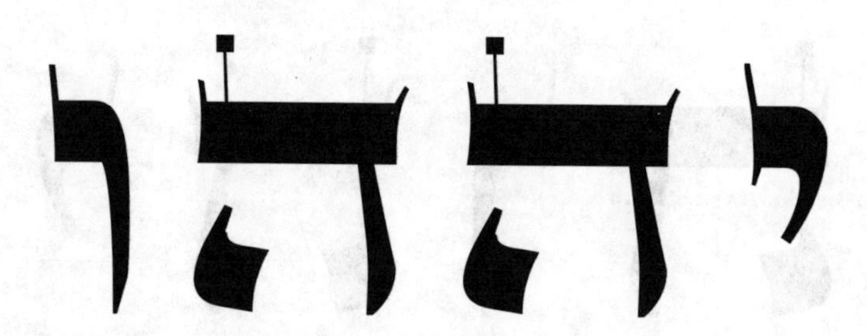

CONEXÃO PARA: CONSOLIDAR PROJETOS/DESAPEGO MATERIAL

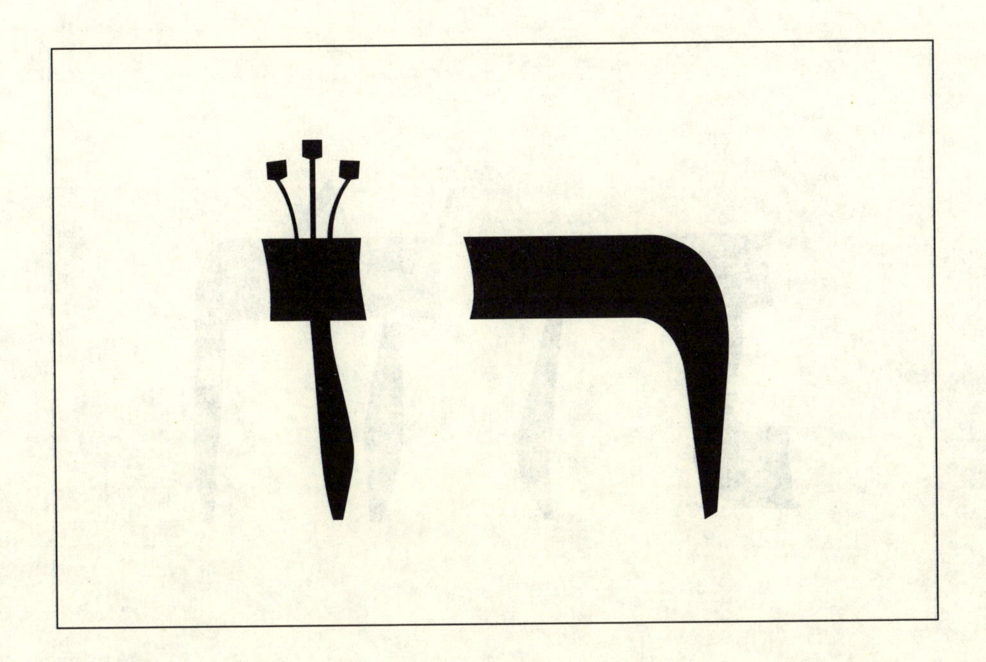

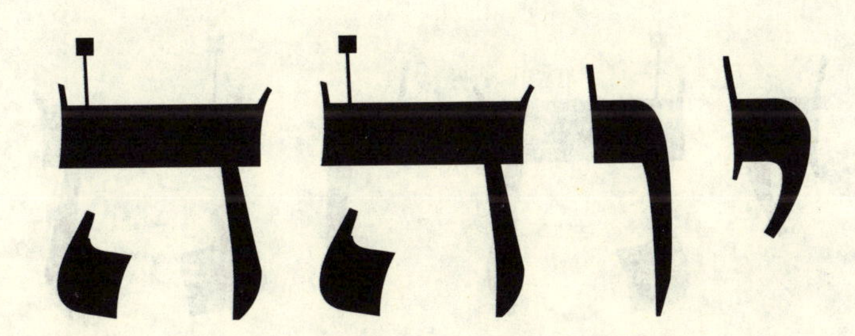

CONEXÃO PARA: APROFUNDAR ESTUDOS/
DESENVOLVER UMA MENTE SERENA

CÂNCER – TAMUZ

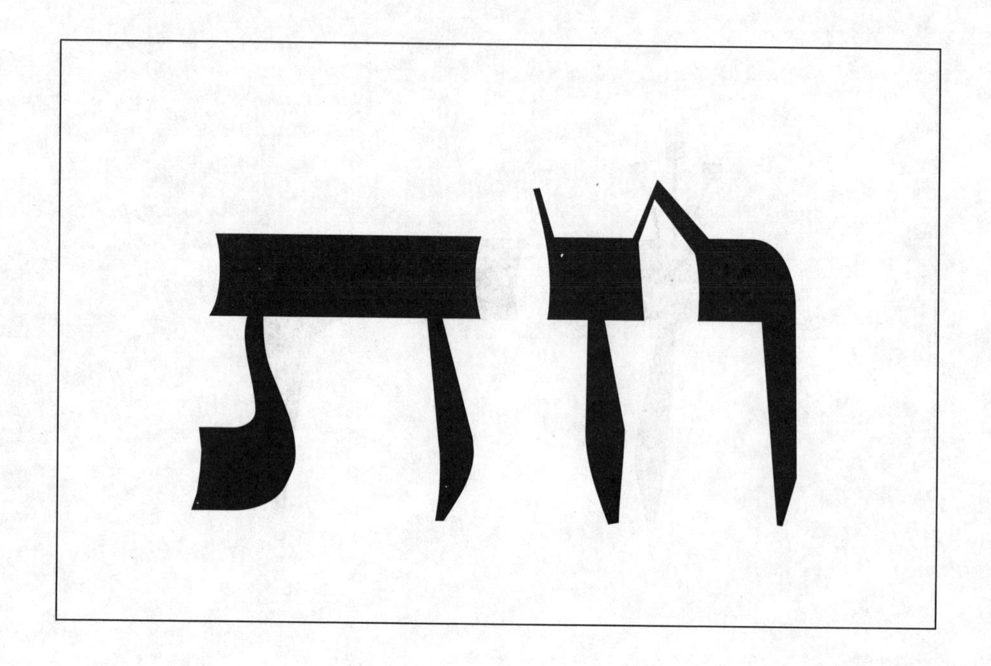

CONEXÃO PARA: CURA EMOCIONAL/
RELACIONAMENTOS MAIS PROFUNDOS

LEÃO – AV

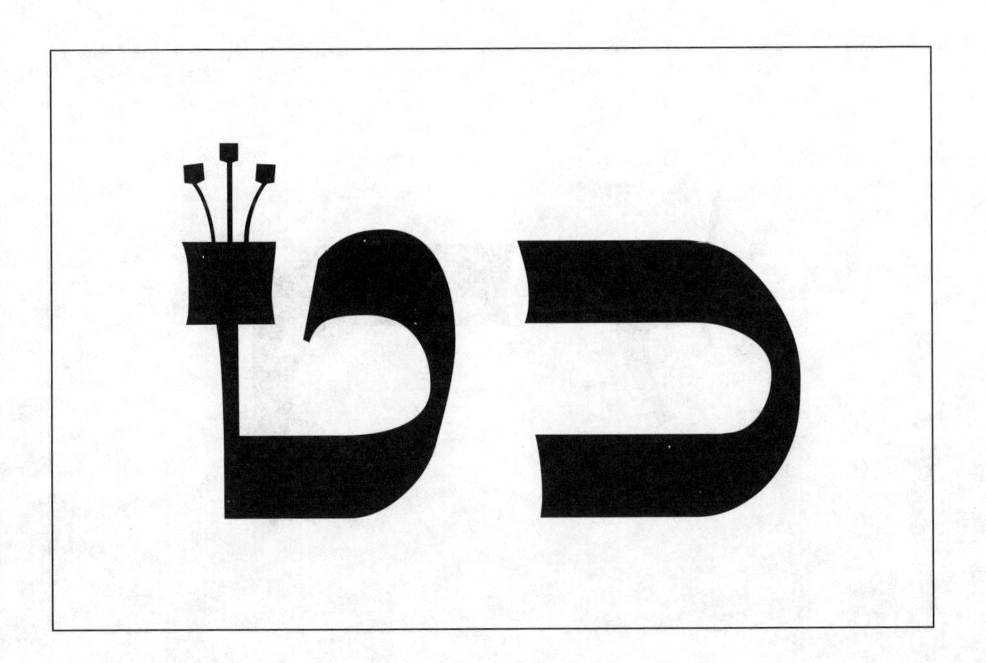

CONEXÃO PARA: FORÇA DE SUPERAÇÃO/DESCOBRIR A LUZ

VIRGEM – ELUL

CONEXÃO PARA: PURIFICAÇÃO/CRÍTICA CONSTRUTIVA

LIBRA – TISHREI

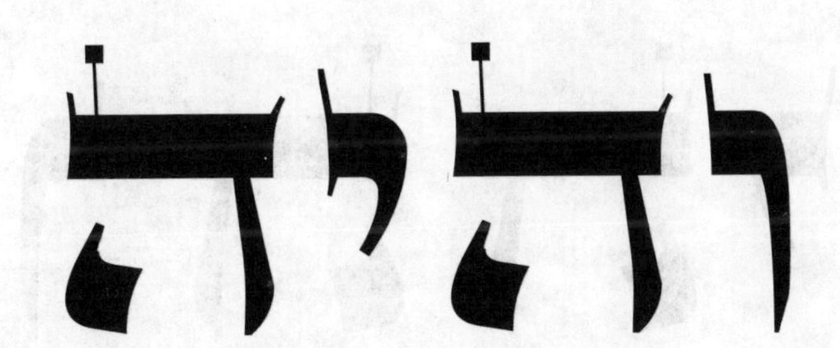

CONEXÃO PARA: SAIR DO REPETITIVO/DESENVOLVER BONS RELACIONAMENTOS

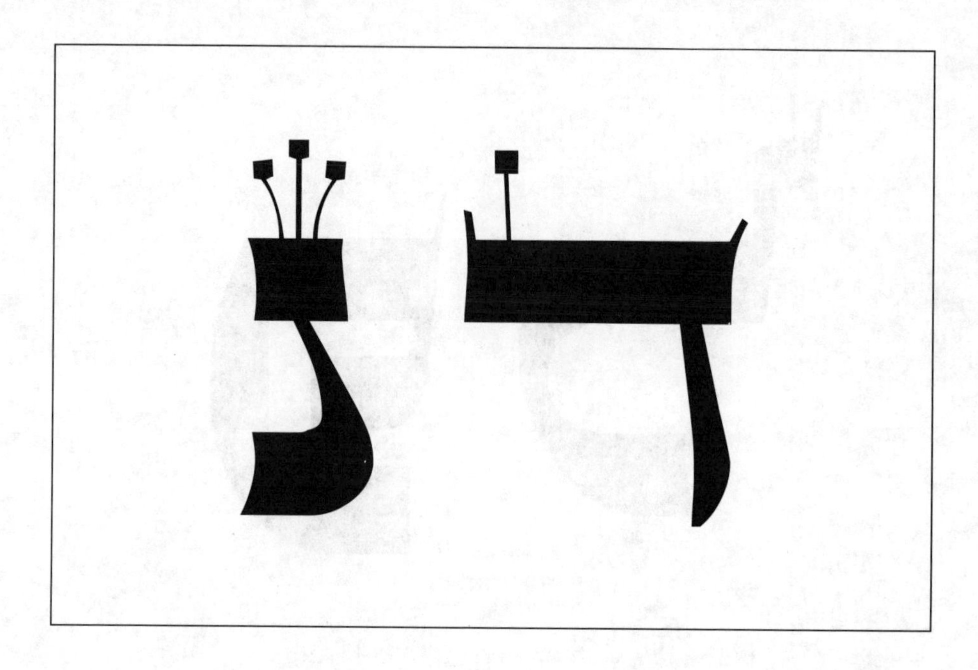

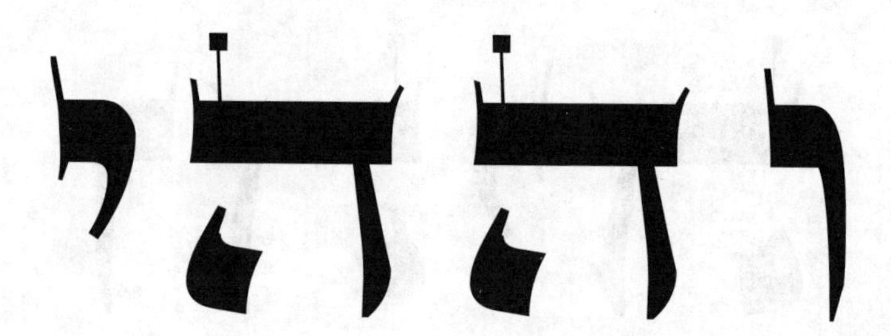

CONEXÃO PARA: AUTOTRANSFORMAÇÃO/HUMILDADE

SAGITÁRIO – KISLEV

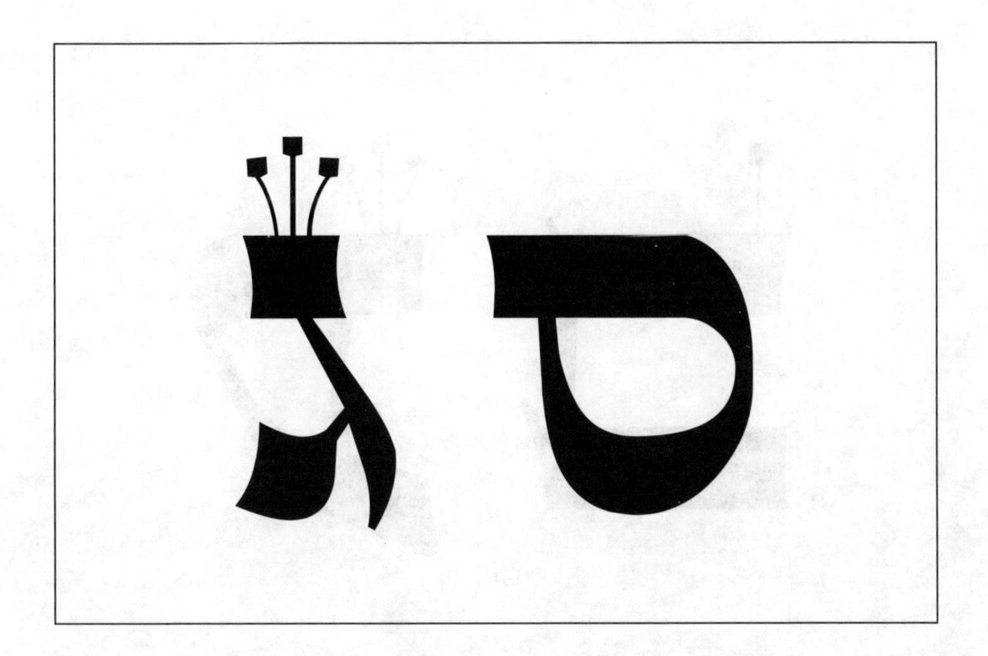

CONEXÃO PARA: FORTALECIMENTO DO PACTO/
DESENVOLVER UMA VISÃO CONFIANTE

CAPRICÓRNIO – TEVET

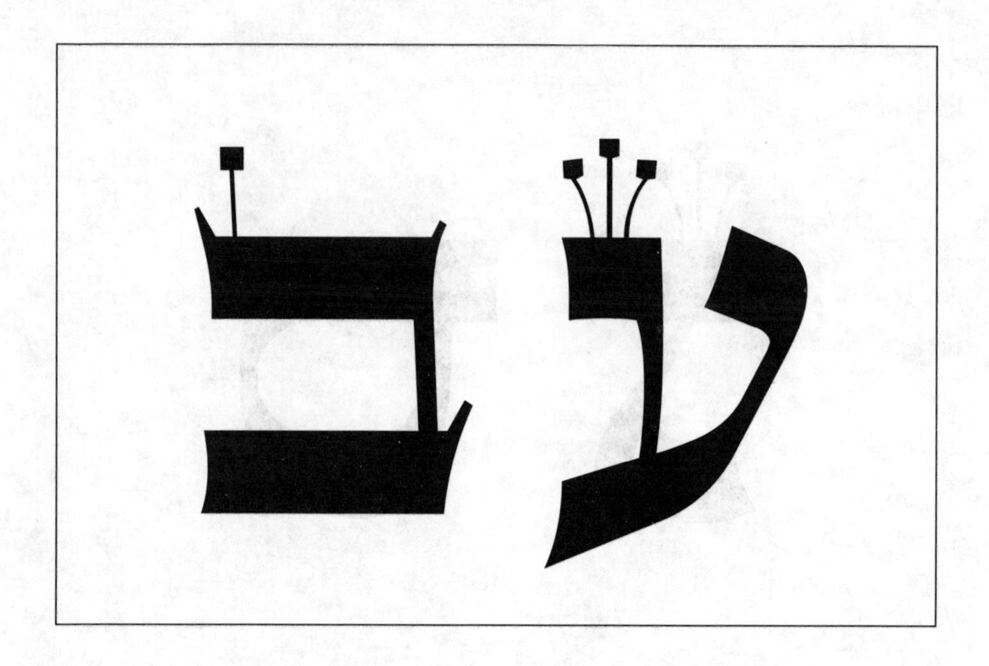

CONEXÃO PARA: REALIZAÇÃO/SUPERAR O OLHAR FÍSICO

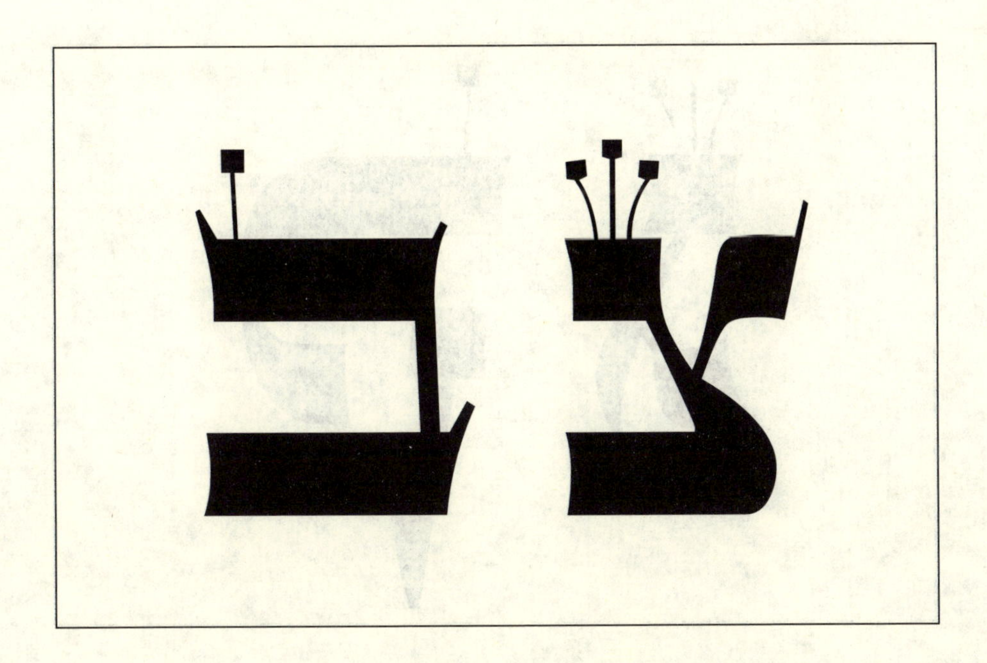

CONEXÃO PARA: UM NOVO PENSAR/BUSCA DA VERDADE JUNTO A UM GRUPO

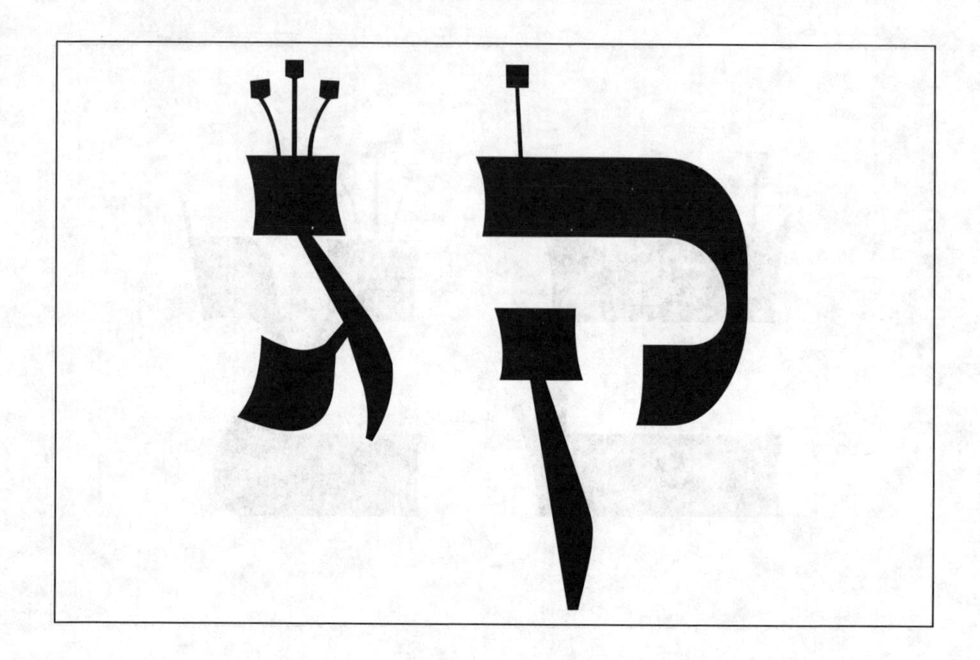

CONEXÃO PARA: TRANSCENDÊNCIA/LEVAR ALEGRIA AO MUNDO

III. YOM KIPUR

Jejum de purificação e profunda conexão com o sagrado

YOM KIPUR

O Yom Kipur é um dia de importância máxima para o cabalista. Compreendemos o dia do perdão a partir de duas óticas diferentes:

1) De acordo com a sabedoria cabalística sabemos que todas as nossas ações geram efeitos. Isso é o mundo do Tikun e não há como escapar dessa dinâmica. Mas podemos entrar em um profundo processo de arrependimento denominado Teshuvá, e assim abrandar a carga de julgamento sobre todos os nossos erros.

2) A segunda ótica é a nossa capacidade de abandonar os ressentimentos que temos em relação às outras pessoas. Talvez esse seja um dos maiores dilemas da existência humana. Como extrair e transformar em bênção os obstáculos com os quais nos deparamos? Um amigo que lhe desaponta, a traição de um cônjuge, uma pessoa de sua confiança que tenta se aproveitar de sua ingenuidade. O que fazer diante desses episódios?

A vingança não sacia, não resolve, não restitui a tristeza e o sofrimento advindos dessas situações. A apatia também não revela luz alguma. Gera isolamento, desesperança e o sentimento de que vivemos de forma burocrática. Aparece então a opção do perdão: Eliminar o ressentimento que temos das outras pessoas. Uma opção difícil, mas que revela a grande bênção no caminho para a Terra Prometida.

MA TÔVU

Desde a idade média, os serviços religiosos são iniciados com "Ma Tôvu". Todas as sentenças dessa oração originam-se de trechos bíblicos.

Como são belas as tuas tendas, ó Jacob, Tuas moradas, ó Israel!
E eu, por Tua imensa bondade, entrarei em Tua casa,
Prostrar-me-ei diante do Teu santuário em temor a Ti.
Amo, ó ETERNO, a casa onde moras, o lugar em que Tua Glória está presente,
E eu prostrar-me-ei, de joelhos louvarei o ETERNO, meu Criador.
Que a minha oração a Ti, ó ETERNO, chegue em hora propícia!
Ó Deus, com Tua grande bondade, responde-me com a verdade do Teu amparo.

MA TÔVU OHALÊCHA IAACÓV, MISHKENOTÊCHA YISRAEL. VAANI BEROV CHASDECHÁ AVÔ VETÊCHA, ESHTACHAVÊ EL ECHÁL CODSHECHÁ BEIR'ATECHA. ADONAI AHÁVTI MEÓN BETÊCHA UMECOM MISHCÁN KEVODÊCHA. VAANI ESHTACHAVÊ VEECHRÁA, EVRECHÁ LIFNÊ ADONAI OSSI. VAANI TEFILATÍ LECHA ADONAI ET RATSÓN, ELOHIM BERÓV CHASDÊCHA, ANÊMI BEEMÉT ISH'ÊCHA.

SALMO 32

De Davi, um "Maskil". Bem-aventurado aquele cuja transgressão é perdoada e seu pecado é relevado. Bem-aventurado o homem que o Eterno não considera iníquo e em cujo espírito não há falsidade. Enquanto calei, meus ossos se definhavam e meus gemidos ecoavam todo o tempo. Pois dia e noite pesava Tua mão sobre mim e desvanecia minha força. Então, meus pecados a Ti confessei e minha iniquidade não encobri; eu disse: "Confessarei minhas transgressões para o Eterno", e Tu perdoaste a iniquidade do meu pecado. Por isso, suplicará a Ti todo devoto no momento propício, para que a correnteza das águas revoltas não o alcancem. Tu és meu abrigo, dos infortúnios me guardas; com cânticos de salvação me envolves. Diz o Eterno: "Instruir-te-ei e te guiarei no caminho a seguir; Meus olhos sobre ti te orientarão." Não sejam como o cavalo ou como a mula que não possuem compreensão, e que apenas com rédea e cabresto podem ser domados, e que não se aproximam de Ti. Muitos são os sofrimentos do ímpio, porém aquele que confia no Eterno, a benevolência o envolve. Alegrem-se no Eterno e rejubilem-se, ó justos, e exultai a todos os retos de coração. Amém!

COL NIDRÊ

Em nome do tribunal celestial, assim como da corte terrestre, com o consentimento do Onipresente assim como da comunidade, declaramos que nos está permitido rezar junto com os transgressores.

BISHIVA SHEL MÁLA, UVISHIVA SHEL MÁTA, AL DÁAT HAMACOM, VEAL DÁAT HACAHAL, ANU MATIRIN LEHITPALEL IM HAAVARIANIM.

Todos os votos, proibições, juramentos, votos por oferendas, consagrações e juramentos que realizamos e proibimos sobre nós mesmos, desde este dia da expiação até o próximo dia da expiação do Yom Kipur, possam vir a nós para o bem. Sejam eles cancelados, de todos arrependemo-nos, sejam abandonados, interrompidos, anulados e invalidados, não ocorridos e inexistentes. Que os votos não sejam votos, que os juramentos não sejam válidos.

COL NIDRÊ VEESSARÊ VACHARAMÊ VECONAMÊ VECHINUIÊ VEKINUSSÊ USHEVUÓT, DINDARNA UDEISHTABÁNA UDEACHARIMNA VEDIASSARNA AL NAFSHATANA, MIIOM KIPURIM ZÉ AD IOM KIPURIM HABA ALÊNU LETOVA, CULEHON ICHARATNA VEHON. CULEHON IEHON SHARAN, SHEVIKIN, SHEVITIN, BETELIN UMEVUTALIN, LA SHERIRIN VELA CAIAMIN. NIDRANA LA NIDRÊ VEESSARANA LA ESSARÊ, USHEVUATANA LA SHEVUOT.

Congregação:

Que sejam perdoados todos que sigam ou não o nosso caminho, pois o pecado recaiu sobre todo o povo que agiu sem premeditação.

VENISLACH LECHOL ADAT BENÊ YISRAEL VELAGUER HAGAR BETOCHAM, KI LECHOL HAAM BISHGAGÁ.

Oficiante:

Por favor, perdoa a iniquidade deste povo de acordo com a Grandeza de Tua bondade, como perdoaste este povo desde o Egito até agora.

SELACH NA LAAVON HAAM HAZE KEGODEL CHASDÊCHA, VECHAASHER NASSATA LAAM HAZE, MIMITSRAYIM VEAD HENA. VESHAM NEEMAR:

Congregação:

E o Eterno disse: "Perdoei de acordo com as tuas palavras."

VAIÔMER ADONAI: SALACHTI KIDVARÊCHA.

Bendito sejas, ó ETERNO, nosso Deus Rei, do Universo, que nos conservaste em vida, nos amparaste e nos fizeste chegar a este momento.

ARUCH ATA ADONAI ELOHÊNU MÉLECH HÁ OLAM, SHEHECHEIÁNU VEKIIEMÁNU VEHIGUIÁNU LAZEMAN HAZÉ.

Pelo pecado que cometemos diante de Ti, coagidos ou voluntariamente;
AL CHET SHECHATÁNU LEFANÊCHA BEÔNES UVERATSON.

Pelo pecado que cometemos diante de Ti, abertamente ou em segredo;
AL CHET SHECHATÁNU LEFANÊCHA BEGALUI UVASSÁTER.

Pelo pecado que cometemos diante de Ti, pela fala aberta;
AL CHET SHECHATÁNU LEFANÊCHA BEDIBUR PÊ.

Pelo pecado que cometemos diante de Ti, através dos pensamentos íntimos;
AL CHET SHECHATÁNU LEFANÊCHA BEHAR'HOR HALEV.

Pelo pecado que cometemos diante de Ti, pela execração do Nome;
AL CHET SHECHATÁNU LEFANÊCHA BECHILUL HASHEM.

Pelo pecado que cometemos diante de Ti, consciente ou inconscientemente;
AL CHET SHECHATÁNU LEFANÊCHA BEIOD'IM UVELO IOD'IM.

Por tudo isso, ó Deus da misericórdia, perdoa-nos, absolve-nos, expia por nós;
VEAL CULAM, ELOHEA SELICHÓT, SELACH LÁNU, MECHAL LÁNU, CAPÊR LÁNU.

Pelo pecado que cometemos diante de Ti, com lábios impuros;
AL CHET SHECHATÁNU LEFANÊCHA BETUMAT SEFATAYIM.

Pelo pecado que cometemos diante de Ti, por propensão ao mal;
AL CHET SHECHATÁNU LEFANÊCHA BEIÉTSER HARÁ.

Pelo pecado que cometemos diante de Ti, demonstrando desprezo
por pais e mestres;
AL CHET SHSCHATÁNU LEFANÊCHA BEZILZUL HORIM UMORIM.

Pelo pecado que cometemos diante de Ti, pela negação e mentira;
AL CHET SHECHATÁNU LEFANÊCHA BECHÁCHASH UVECHAZÁV.

Pelo pecado que cometemos diante de Ti, na vida cotidiana e no exercer da profissão;
AL CHET SHECHATÁNU LEFANÊCHA BEMASSÁ UVEMATÁN.

Pelo pecado que cometemos diante de Ti, com comidas e bebidas;
AL CHET SHECHATÁNU LEFANÊCHA BEMAACHAL UVEMISHTE.

Por tudo isso, ó Deus da misericórdia, perdoa-nos, absolve-nos, expia por nós;
VEAL CULAM, ELOHA SELICHÓT, SELACH LÁNU, MECHAL LÁNU, CAPÊR LÂNU.

Pelo pecado que cometemos diante de Ti, por nos desobrigarmos das leis;
AL CHET SHECHATÁNU LEFANÊCHA BIFRICAT OL.

Pelo pecado que cometemos diante de Ti, pela inveja;
AL CHET SHECHATÁNU LEFANÊCHA BETSARUT ÁYIN.

Pelo pecado que cometemos diante de Ti, por leviandade;
AL CHET SHECHATÁNU LEFANÊCHA BECALUT ROSH.

Pelo pecado que cometemos diante de Ti, pela corrida para ir fazer o mal;
AL CHET SHECHATÁNU LEFANÊCHA BERITSAT RAGLAYIM LEHARÁ.

Pelo pecado que cometemos diante de Ti, pelo ódio gratuito;
AL CHET SHECHATÁNU LEFANÊCHA BESSIN'AT CHINAM.

Pelo pecado que cometemos diante de Ti, perturbados pela emoção;
AL CHET SHECHATÁNU LEFANÊCHA BETIMEHON LEVAV.

Por isso tudo, ó Deus da misericórdia, perdoa-nos, absolve-nos, expia por nós;
VEAL CULAM, ELOHA SELICHÓT, SRLACH LÁNU, MECHAL LÁNU, CAPÊR LÁNU.

TU, QUE OUVES A PRECE, a Ti se achega todo mortal. Todo mortal virá se prostrar diante de Ti, ó ETERNO. Eles virão e se prostrarão diante de Ti, ó Senhor, e honrarão o Teu Nome. Vinde, prostremo-nos e curvemo-nos, ajoelhemo-nos perante Deus, nosso Criador. Adentrai os Seus portões com gratidão, Seus pátios com louvor, dai graças a Ele, bendizei o Seu Nome. Vinde bendizei o Eterno, todos vós, servos de Deus, que se postam na casa do Eterno durante as noites. Erguei vossas mãos no santuário e bendizei o Eterno. E nós, pela Tua Grande Bondade, entraremos em Tua casa, prostrar-nos-emos diante do Teu Sagrado Santuário, venerando-Te. Vinde, entoaremos ao ETERNO, aclamemos a Rocha de nossa Salvação.

SHOMÊA TEFILÁ, ADÊCHA COL BASSAR IAVÔU. IAVO CHOL BASSAR LEHISHT ACHAVOT LEFANÊCHA ADONAI. IAVÔU VEYISHTACHAVU LEFANÊCHA, ADONAI, VICHABEDU LISHMÊCHA. BÔU NISHTACHAVÉ VENICH'RAA, NIVRECHA LIFNÊ ADONAI OSSÊNU. BÔU SHEARAV BETODA, CHATSEROTAV BITEHILA, HÔDU LO BARECHÚ SHEMÓ. HINE BARECHÚ ET ADONAI COL AVDÊ ADONAI, HAOMDIM BEVET ADONAI BALELÓT. SEÚ IEDECHEM CÓDESH, UVARECHU ET ADONAI. VAANACHNU BEROV CHASDECHÁ NAVO VETÊCHA, NISHTACHAVÉ EL HECHAL CODSHECHÁ BEYIRATÊCHA. LECHÚ NERANENÁ LADONAI, NARÍA LETSUR YISH'ÊNU.

ABRE-SE A TORÁ

Possa a nossa súplica ascender desde o anoitecer. Que o nosso clamor chegue a Ti desde a manhã. E que o nosso canto de louvor seja visível ao anoitecer.

IAALÊ	TACHANUNÊNU	MEÉREV
VEIAVÔ	SHAV'ATÊNU	MIBÓKER
VEIERAÊ	RINUNÊNU	AD ÁREV

Possa a nossa voz ascender desde o anoitecer. Que a nossa retidão chegue a Ti desde a manhã. E que a nossa redenção seja visível ao anoitecer.

IAALÊ	COLÊNU	MEÉREV
VEIAVÔ	TSIDCATÊNU	MIBÓKER
VEIERAÊ	PID'IONÊNU	AD ÁREV

Possa nossa aflição ascender desde o anoitecer. Que o nosso pedido de perdão chegue a Ti desde a manhã. E que nosso lamento seja visível ao anoitecer.

IAALÊ	INUIÊNU	MEÉREV
VEIAVÔ	SELICHATÊNU	MIBÓKER
VEIERAÊ	NAACATÊNU	AD ÁREV

Possa nosso pedido de Refúgio ascender desde o anoitecer. Que pelo Seu Nome, ele chegue a Ti desde a manhã. E que a nossa expiação seja visível ao anoitecer.

IAALÊ	MENUSSÊNU	MEÉREV
VEIAVÔ	LEMAANÓ	MIBÓKER
VEIERAÊ	KIPURÊNU	AD ÁREV

Possa o nosso pedido de Salvação ascender desde o anoitecer. Que a nossa pureza chegue a Ti desde a manhã. E que a nossa graça seja visível ao anoitecer.

IAALÊ	YISH'ÊNU	MEÉREV
VEIAVÔ	TAHARÊNU	MIBÓKER
VEIERAÊ	CHINUNÊNU	AD ÁREV

Possa a nossa lembrança ascender desde o anoitecer. Que a nossa assembleia chegue a Ti desde a manhã. E que o nosso esplendor seja visível ao anoitecer.

IAALÊ	**ZICHRONÊNU**	**MEÉREV**
VEIAVÔ	**VIUDÊNU**	**MIBÓKER**
VEIEARÊ	**HADRATÊNU**	**AD ÁREV**

Possam nossas batidas aos Teus portões ascender desde o anoitecer. Que o nosso júbilo chegue a Ti desde a manhã. E que nosso pedido seja visível ao anoitecer.

IAALÊ	**DOFKÊNU**	**MEÉREV**
VEIAVÔ	**GUILÊNU**	**MIBÓKER**
VEIERAÊ	**BACASHATÊNU**	**AD ÁREV**

Possa nosso gemido ascender desde o anoitecer. Que chegue à Tua presença desde a manhã. E encontre favor até o anoitecer.

IAALÊ	**ENCATÊNU**	**MEÉREV**
VEIAVÔ	**ELÊCHA**	**MIBÓKER**
VEIERAÊ	**ELÊNU**	**ADÁREV**

FECHA-SE A TORÁ.

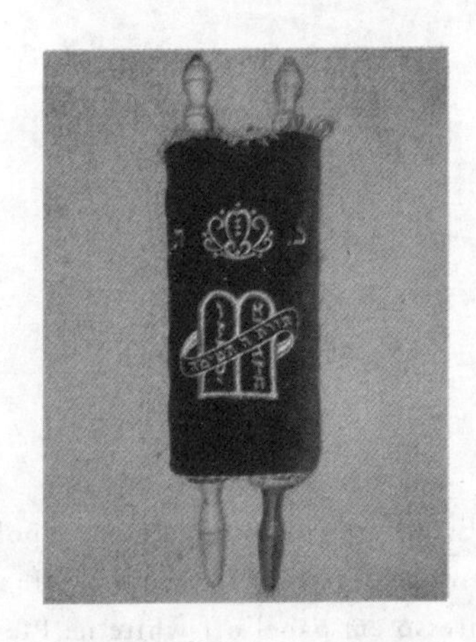

Este livro foi composto nas tipologias
Adobe Garamond, Gotham e Trajan, e
impresso em papel off-white na Plena Print.